2. 文化交流的程度将会持续深入

中国与东盟各国的文化交流的程度将会持续深入，主要由三个方面呈现。第一，中国与东盟国家城市结为友好城市的数量增加（见表1-6）。由表1-6可见，截至2018年12月，中国与东盟国家缔结友好城市的数量剧增，其中广西发挥了重要作用——截至2018年8月，广西与东南亚缔结了52对友好城市；泰国、越南和中国缔结友好城市的数量并列第一，其次是菲律宾，文莱和新加坡最少。第二，民间参与度逐渐增加。中国和东盟各国的政府有充足的人力、财力、物力来举办各种文化交流活动以促进文化交流的发展。在中国和东盟各国政府的规划和推动下，交流内容不断丰富、交流形式逐渐增多、民间参与度也不断增加。同时，各种民间自发组织与东盟各国的人文交流活动也不断增加，这些民间自发组织的文化交流活动能引起中国和东盟各国当地民众的感情共鸣，进而有利于中国与东盟各国文化交流的发展。第三，东盟国家民众对中国文化的整体欣赏水平较高。从地理位置上来看，中国与老挝、越南、缅甸直接接壤，其他国家也与中国相隔不远，且东盟国家有一定比例的国民具有华裔血统，因此与我国有着不可分割的文化渊源。

表1-6 中国和东盟国家缔结友好城市一览表（截至2018年12月31日）

国家	菲律宾	印度尼西亚	泰国	马来西亚	新加坡	越南	缅甸	老挝	柬埔寨	文莱
省州	11	12	23	7	0	6	1	8	14	0
城市	19	15	15	8	1	32	7	8	9	1
总计	30	27	38	15	1	38	8	16	23	1

3. 教育和体育合作力度将会加大

目前，中国和东盟各国的教育合作主要是留学生来华接受高等教育，中国和东盟的高等教育合作主要涵盖学术交流、人才培养、教育共同体、教师交流和互派等领域。但随着中国和东盟国家交流合作的推进，教育交流与合作将会不断扩展，将不会仅局限于高等教育，还会进一步涉及职业教育（如 2017 年成立"中国—东盟职教合作联盟"）、技能教育、继续教育以及高等教育机构管理和人员培训等多方面，从而形成全面化合作。如从 2008 年开始举办的"中国—东盟教育周"，至今已举办了十届。"中国—东盟教育周"最初仅由我国主导，而现在东盟"10+1"全员主动参与，参会人数高达 3 000 人，这数目约是十年前的 10 倍。不仅如此，"中国—东盟"教育周中开展活动的次数也翻了十几番，可以说"中国—东盟教育周"已发展为一个国家级别的教育交流平台。由此可见，中国与东盟的教育合作将会涉及更多领域、合作力度将会不断加大。泰中文化经济协会会长、泰国前副总理颇钦曾说："中国文化同东南亚文化深度契合，中华文明和东南亚文明共融共生，很高兴看到中国与东盟在各个领域的合作不断加强并全面深化。"

我国与东盟的体育合作力度也将会不断加大。在"中国—东盟合作"战略和"一带一路"倡议的背景下，加大中国与东盟体育合作力度是依循国家战略走向的顺势所为，该举措能够彰显中国对"中国—东盟合作"战略与"一带一路"倡议布局的高度认可，更是通过体育合作来促进中国和东盟各国其他方面的合作。就中国和东盟体育合作而言，中国与印度尼西亚（1994 年）、缅甸（2000 年）、老挝（2002 年）、柬埔寨（2004 年）新加坡（2011 年）等国先后签署了《体育合作备忘录》，初步架设起中国与东盟体育合作的桥梁。此外，中国与东盟举办了"中国—东盟大众体育合作发展论坛""中国—东盟体育产业发展论坛"等促进体育合作交流的论坛；同时，还建立了"中国—东盟体育信息中心""中国—东盟体育交流合作中心""中国—东盟人才培训基地"以及"中国—东盟体育交流合作实验园"等平台。这些论坛的举办和平台的建设不仅加速了我国与东盟各国的体育文化联结，也将成为构建中国—东盟体育"共同体"的现实基础。

二、港口城市

港口城市是位于江河、湖泊、海洋等水域沿岸，且拥有港口并具有水陆交通枢纽职能的城市。它是中国与各国海上互联互通和经济合作的关键节点和重要枢纽，对推动中国和东盟各国经济发展和海上联通也具有重大意义。全世界贸易额的 7% 和中国贸易额的 90% 均来自海运，更不用说港口城市汇集了 50% 的全球财富。港口城市是海洋和陆地的交汇点，在联通"丝绸之路经济带"和"21 世纪海上丝绸之路"上同样扮演重要角色。但当前，我国港口城市还存在许多问题，如港口基础设施水平参差不齐、与各国港口在相关政策制定及其标准方面存在较大不同；且中国港口城市与发达国家的港口城市相比，还存在较大差异。因此，需对中国港口城市进一步建设，加快港口基础设施建设，建立多层次的交流机制、信息共享机制，从而构建一个政治互信、交通便利、经济发展、文化交流的港口城市。

（一）国内外现状

随着经济全球化和区域经济一体化的快速发展，港口和港口城市的功能与作用也在不断扩展，尤其是在资源配置和物资流通中发挥着越来越重要的作用。从世界航运史来看，城市的兴衰与国际经济中心、贸易中心的位移息息相关。世界上工业发达与经济繁荣的城市兴起，几乎都与周围建立了大型港口有关。许多港口城市经济在较短的时间内以持续的高速度增长，迅速发展成为世界著名的经济贸易中心，其主要原因就在于港口生长点效应。当今世界上纽约、东京、鹿特丹、阿姆斯特丹等 35 个国际化大都市，有 31 个是因港口而形成独特的城市功能、形成强大的辐射力而兴旺起来的。而在中国历史上，许多城市的兴起也与港口的兴起和发展息息相关，如香港、上海、宁波、深圳、日照等，这些城市都因港口的带动而获得快速发展。

1. 港口城市间经济实力不同

经济实力是衡量国际港口城市的重要指标之一。国际大型港口城市如汉堡、鹿特丹、马赛、横滨等城市，均综合实力较强、产业结构优化程度较高、创新要素聚集度高，城市综合竞争力较强，居民生活处于国际同类城市前列，临港产业等产业体系完备度较高，逐渐成为或已经成为区域经济发展的龙头和极核。与这些国际港口城市相比，中国的宁波、南通等港口城市和东盟国家的港口城市显然经济实力较弱，且差距较大。我国和东盟国家的港口城市综合实力还较弱或一般；产业结构存在较大问题，其优化程度也还需进一步提高；创新要素聚集度虽然在政府的扶持和推动下有一定的提高，但与上述港口城市相比，仍存在不小的差距；大部分居民生活处于国际同列城市中列，小部分居民生活还处于国际同列城市下列；临港产业水平不高；港口基础设施完善程度、港口便利化程度等多方面都还有待提高。

2. 港口城市间国际化程度和开放程度不同

汉堡、横滨等港口城市的经济实力雄厚，主导产业鲜明、制造业发达，创新驱动力强，具有强大的综合竞争力；综合功能完善、集散功能强大、高端港航要素集聚，在全球政治、经济、文化等方面具有较强的话语权和影响力；世界知名度和美誉度比较高；外向经济发达，人文交流活跃；港口条件优越，港口基础设施先进，港口资源利用水平高——这些有利条件都促使汉堡、横滨等港口城市的国际化程度和开放程度处于较高水平。而中国和东盟各国港口城市的国际化程度处于中低水平，这是因为中国和东盟各国还是发展中国家，经济实力有限，临港产业等产业体系和港口基础设施还不够完善。这些主观和客观原因使中国港口城市无法像汉堡、鹿特丹等港口城市一样达到那么高的国际化程度。同样，中国和东盟各国的港口城市的开放程度也处于中低水平，造成这种情况主要有以下几点原因。其一，出于保护港口城市的原因，开放程度不能太高。虽然近年来，我国港口城市有了很大发展，但与汉堡等港口城市的差距仍然存在。我国港口城市的临港产业仍面临着竞争力较低、系统不完善等方面的困境，若我国港口城市像鹿特丹等国际港口城市一样开放，必然会使我国临港产业面临不得不与国外临港企业竞争的状况，而我国企业没有优势与国外企业竞争。其二，港口条件水平的高低对港口城市的发展起决定性作用，我国港口城市的港口条件不足以支持起较高的开放程度。如我国港口城市的港口物流体系还不完善，与其他国家港口配合方面还不够协调，缺乏技术标准，在港口物流服务标准、港口物流基础标准、港口物流信息标准、港口物流技术标准、港口物流管理标准这几个方面上还没有实现标准化的完全对接。

3. 港口城市间港口条件不同

汉堡、马赛等国际港口城市的港口条件优于中国的港口城市，它们拥有完善的港口基础设施，港口便利化水平较高。此外，较完善的港口体系的交通和物流体系，如德国汉堡港拥有欧洲最大的铁路运输系统，有直接通往欧洲内陆的五条高速公路，并设有往返于欧洲各国的港口支线航班，交通运输十分便利。荷兰鹿特丹港不仅包括服务腹地的运输网络，还包括港口本身内部的运输系统，整个港区以新航道为主轴，构成了港口、铁路、海运、公路、内河和管道以及城市交通系统及与机场连接的集疏运系统，良好的港口物流网络通信平台以及较完善的技术标准对接。而中国和东盟国家的港口城市还需要解决基础设施建设、港口泊位、航线建设、物流信息等多方面问题。具体用中国面临的三个主要问题来说明，首先，中国和东盟各国面临着基础设施不够完善的问题。在中国和东盟国家中，马来西亚和新加坡的港口基础设施较好，但其他国家如印度尼西亚、老挝、柬埔寨、菲律宾的港口基础设施严重不足。在全球航运中心评价结果的三个层次中，只有部分中国港口、新加坡港、巴生港和丹戎帕拉帕斯港达到标准线以上。由此可知中国的某些港口城市和东盟国家的港口城市的港口发展水平还很低。其次，中国港口城市的港口便利化水平不高。港口便利化水平包括海关环境、制度环境和电子技术运用等多方面因素，其在很大程度上影响着港口的过关效率和成本。中国港口城市的港口便利化水平不高是由经济发展水平、科技水平、历史文化、风俗习惯等方面的不同而引起的。最后，中国与东盟国家的港口大部分物流水平仍比较低，比如新加坡、马来西亚、中国的信息通信技术使用范围虽然相对较广，但其他东盟国家物流信息化水平低于世界平均水平，还处在使用电话、人工操作的阶段，物流信息化和标准化程度都不高，信息传递不通畅、不对称信息的存在等都严重制约了各国港口互联互通的水平。此外，还有部分国家的港口还未与我国实现双向的信息交互，个别港口的节点还未完全建立，信息管理系统也还没有得到充分的应用。

（二）发展趋势

1.港口城市合作网络的建设将会加强

港口城市间虽然存在竞争，但在一定条件下为了某种共同目标如提高航线或某区域群体港口的竞争力，港口城市间会自发或有组织地通过合理的分工，利用各自具有的优势，相互协调补足短板，通过合作，以实现港口运营效率的最大化。因此，港口城市的资源整合、集群化、合作化成为一种势不可挡的趋势。港口城市间的港口合作模式有三种，一是民间即非政府组织等和地方政府的合作，这种合作的主要推动力量比较松散；二是在各国中央政府的推动下签订的区域协议性的制度和合作，这种合作比较紧密，推动力量较强，且有相应的资金和政策等作为合作的保障；三是介于上述两种形式之间的一种过渡型合作，是一种非约束性的"软制度"，但也并非是一盘散沙，其对于长远目标以及实现目标的规划均有涉及，如"21世纪海上丝绸之路"，中国—东盟港口建设发展。港口城市的合作网络是一种新的港口城市合作方式，这种合作方式将会加快港口城市间的发展。如中国—东盟港口城市合作网络2013年在广西南宁正式成立，根据这项合作网络规划，中国—东盟港口城市之间将会在班轮航线、港口建设、港口物流、临港产业等多方面开展合作，构建中国与东盟国家47个港口城市的互联互通网络。中国—东盟港口城市合作网络是中国—东盟海上合作基金的首批国家级工程中被政府支持推进。在中国与东盟国家的经贸来往中，港口和海运占主要地位，每年约有65%的交易量是由港口完成的。因此，中国与东盟国家建立港口城市合作网络有助于各港口城市开展交流合作、相互投资，共同提升竞争力，实现优势互补、互利共赢。在2019年9月举行的中国—东盟港口城市合作网络会议上，各成员方希望有越来越多的国家加入合作网络，形成友好的港口城市合作圈，共同完善港口基础设施建设，推动政策、规则和标准对接为重点的软联通合作深化，进一步加强中国和东盟港口物流信息的交流共享，提高海运口岸通关服务效率，降低物流成本，同时推进港口投资建设运营合作。截至 2019 年，中国—东盟港口城市合作网络成员共有 39 家，覆盖中国—东盟的主要港口。

2. 港口城市的形态将会更加开放

目前，港口城市间的经济实力、国际化程度和开放程度还存在一定差异。但随着经济全球化的深入和各国政策的推进，港口城市间的经济实力差距将会逐渐缩小，国际化程度和开放程度将会趋于同一水平，从而使港口城市开放形态的进程加快。在对外开放这一方面，港口城市比一般的内陆城市更加具有明显的区位优势，往往会参加国际分工，接受全球性经济中心和市场中心的辐射，从而逐渐发展成为国家对外开放的枢纽、桥梁、窗口以及跳板。同时港口城市还以国际市场为导向，加速开展与腹地经济的分工和协作，从而形成层次不同的开放格局，推动腹地经济的经济素质的提高、经济的快速发展。此外，由于港口城市的开放程度较高，其经济社会在各个领域内具有明显的外向性和国际性特征，因此港口城市的管理制度等相关制度在一定程度上必须适应国际大环境的变化，符合国际通行的规则和惯例。

3. 港城之间的互动程度将会持续深化

港口和城市之间强烈的相互推动，将会促使更多的现代化国际港口城市建成。现代化国际港口城市是港口城市发展的高级阶段，包括港口、国际化、现代化这三大基本要素。这三方面基本要素是相互联系、相互推动的。也就是现代化港口城市都具有重要的国际性港口，以作为全球运输中心及物流配送中心；具有雄厚的经济实力，其规模经济和国民生产总值对于国家或其他区域都具有相当大的竞争力和影响力；拥有高水平、高质量、大规模的临港产业以及港口工业区、贸易区、服务区等，可以说是该国甚至于全球重要的经济经贸中心，对世界经济有较大的影响力；以港口为中心的服务业发达程度较高，如依托港口及港航产业而发展起来的规模巨大的输运企业、加工企业、仓储企业、物资补给企业、外轮代理企业、旅游服务企业、外汇结算以及邮电通信企业等。首先，港口作为城市开放门户之一，将会促进城市走向世界，从而走进更高水平、更高层次的发展阶段。反过来，城市的高速发展也会为港口的发展提供资金、技术、服务等多方面的支持和保证。此外，港口城市在现代化进程中，实行国际化发展战略是必然的战略选择，而港口可以是城市国际化和向外发展的途径之一。现代化港口城市是港口、城市、产业三者紧密相连，交通、工业、贸易和城市四位一体的港口城市。其以港口为中心建立交通基础设施，从而带动与之相关的港口物流等临港产业的兴起和快速发展；工业是国际港口城市的重要基础之一，临港工业及相关产业的发展促进了港口的繁荣，带动了城市的发展与繁荣；贸易则是国际化港口城市的重要纽带，通过满足域外的需求，从而达到各种产业的相互有机联合发展，并在市场中使生产得以延续；城市作为国际化港口城市的载体，同样扮演着一个重要的角色，是不可或缺的——它为各种产业提供物质基础和承载空间。

4. 港口条件将不断优化

港口条件是港口的基础，港口的发展建设必须对港口条件进行优化升级。目前，港口城市间的港口条件参差不齐，这是导致港口城市综合竞争力不够的原因之一。因此，各国均在优化港口条件方面给予政策和资金等方面的支持。港口条件优化中港口基础设施的完善是重点之一，一是老港区功能调整和升级以及大型专业化码头建设的进程需要较快速度，如中国—东盟有些沿线港口深水码头比较少并且年份较久，部分东盟国家的港口设施陈旧落后，港口规模、现代化水平、通过能力、货物处理量等多方面难以与发达地区港口相比。推动港口建设向大型、深水化方向发展，以适应现代大型船舶对港口泊位、航道、装卸场地和内陆集疏运系统的更高要求。二是加快支线港口的建设。中国—东盟沿线国家的港口基础设施水平参差不齐，存在运输瓶颈和通道短板，很容易形成"木桶效应"。如一些船不仅承载量不大，还在沿途港口必须停靠钟摆式航运，若一旦在某港口发生滞港，那么后续的船只的运输和停泊都将受到巨大影响。三是加强以港口为重点的交通基础设施建设，同时需要注重港口与内河、铁路、陆路以及航空运输的联通，从而形成高效、便捷的交通网络。四是对物流、金融、贸易和临港工业整体产业设施进行完善和升级，以此适应信息化、综合化和一体化的现代港口的需要。

第二节 国内外研究现状综述

（一）文化融通

文化是非常广泛和最具人文意味的概念，给文化下一个准确或精确的定义，的确是一件非常困难的事情。对于文化这个概念的解读，不同学者有不同的理解。随着对文化研究的深化和文化热的几起几落，学者们对"文化"定义的分歧不是越来越小，而是越来越大。

泰勒（1871）认为所谓文化或文明乃是包括知识、信仰、艺术、道德、法律、习俗，以及作为社会成员的个人而获得的其他任何能力、习惯在内的一种综合体。这种对文化的理解影响了当时和后来的许多社会科学家，学者们从不同的领域以不同的方法和思维对文化进行了细致的研究，从而出现了不同的文化学派。如英国著名文化人类学家马林诺夫斯基（1946）认为："文化是指那一样传统的器物、货品、技术、思想、习惯及价值而言的，并且包括社会组织。"美国著名人类学家克莱德·克鲁克烘教授认为文化指的是某个人类群体独特的生活方式，既包含显行式样又包含隐型式样，它具有为整个群体共享的倾向，或在一定时期中为群体的特定部分所共享。

无论对"文化"定义有着何种不同的理解，学者们认为不同文化之间在正常环境下的互动与磨合最终会导致协调与共生（梁培林，蒋玉莲，2017），都不否认文化对于经济政治生活有着重大的影响，特别是文化交流的重要作用。文化交流是不同文化背景的人们之间发生的信息传播与文化交往活动，它有助于扩大一个国家的文化传播范围，拓展本国文化的全球影响力（韦莉娜，唐锡海，2012）。文化交流的目的是文化融通，其可以促进文化融通，形成文化认同。文化融通是指民族文化等文化在文化交流的过程中以其传统文化为基础，同时根据时代特征和自身需要，认识、尊重、理解、认可、吸收以及消化外来文化，以促进自身文化的发展（郭映珍，刘庆，2019）。"文化融通"及不同种类的文化相互吸收和结合，最终将会形成一种新型文化的渐进过程（张立鹏，2009）。文化融通是经济商贸交流的最终目标、产业优化升级的必经阶段，若想要实现文化融通就必须找准优势（刘鹤，郭凤志，2017）。在现实性上，文化融通的空间向度包括空间承载、空间演进、空间叙事这三个方面（苏泽宇，2016）。在分类上，文化融通可以分为个体文化融通、企业文化融通、民族文化融通和国家民族融通这四类（郭映珍，刘庆，2019）。

在个体文化融通中，个体是构成社会的基本成员，个体的社会关系和个体生活间的相互作用的结果是形成一定的社会关系和社会结构。不同的个体的社会生活、文化、政治背景均不同，因此其所形成的文化理念也不同；在个体的社会交往中，个体以个人的身份通过语言、符号、行为、外在物等要素进行交流，经过不断交流的磨合，最终逐渐达成双方都可以接受的共同理念。在企业文化融通中，企业作为国家的组织结构，在现代化国家中占有重要地位。与个体不同的文化理念类似，不同的企业在物质层面、管理层面、制度层面、行为层面等层面以及企业的品质、服务、营销管理、广告等方面均具有不同的文化理念。来自不同国家或地区的企业在进行合作交流前首先需要了解对方的企业文化，然后才考虑是否能产生合作的可能性。在民族文化融通中，民族文化需要学习和吸收其他民族文化的优秀成果，并以本民族文化为基础，结合国情和时代特征，融汇其他优秀的民族文化，尊重并平等看待其他民族文化，从而实现民族文化的相互交融。且民族文化的融通不仅仅表现在一个国家内不同民族的文化融通，还表现为不同国家间民族文化的相互尊重、认识、理解和融通。在国家文化融通中，国家文化融通不同于个体、企业以及民族文化融通，它是以国家为主要推动力，实现国家间的文化融通，主要表现在一个国家的价值观、文化准则以及文化感召力等无形的"软实力"。国家文化融通也可以理解为是某国对他国在发展战略、发展意图、发展目标等方面的相互尊重、认识、信任、参与，从而形成国家间的认同意识，并在此基础上开展国家间的合作和发展。目前，在"一带一路"倡议下，国家间文化差异的融通是促进"一带一路"沿线国家友好发展的重要举措之一。为了实现文化融通，首先要研究国家间文化的差异。"一带一路"沿线国家一共有60多个，人口共40多亿，并且发达国家和发展中国家同在，宗教信仰繁多，价值观不同、语言不同、利益不同、信仰等多方面不同，无法避免冲突和矛盾（李世华，2016）。总体说来，国家间文化差异是由宗教信仰、民族习俗和现代化这三个维度引起的（杨颖，王保庆，2019）。我们必须研究共建"一带一路"国家发展的历史过程，了解和掌握各国的社交礼仪等，并根据各国风险情况研究"一带一路"沿线各国的国情和投资机会，尽可能地规避各种各样的风险。

为实现这些文化差异的文化融通，可以实施以下几种方法：首先，提前认识文化冲突，做好应对对策。引起文化冲突的主要原因是文化差异，"一带一路"倡议涉及的国家很多，因此民族文化种类也多种多样，而要实现文化融通的前提要求就是正确认识这些文化差异（刘诗琪，杨丽，2019）。其次，要促进"一带一路"沿线国家的沟通和理解。这种沟通和理解需要政府帮助建立丰富的知识储备，不仅需要从自身角度考虑，更多的还需要从对方角度考虑，加强双方互动、双向沟通，以形成良性互动的合作格局（梁海明，2016）。再次，完善文化交流机制。建立专门性文化交流机制的第三方平台，这种第三方平台是公平正义的宝座，不仅有利于保障沿线各文化主体的利益，而且还有助于缓解各国带来的文化交往的压力（杨萍，2018）。最后，建立具有高度包容性的合作制度框架，形成价值共同体。基于实现民族繁荣和富强的共同愿望，凝聚"分享、合作、共赢、包容"的价值共识，传承、重塑丝路精神（王芳，2018）。

（二）港口城市

港口城市是一种特殊的城市类型，是港口和城市的综合体，其演化发展过程体现了城市和辖区内港口相互需求、相互制约的关系（傅萌，霍伟，2019）。这种港口和城市的综合体，在发展上有着独特的优势——港口为城市所用，城市因港口而兴。纵观全球城市，伦敦、鹿特丹、汉堡、新加坡、中国香港等国际化大都市，几乎全是港口经济型城市或以港口为依托而发展起来的，港口与其所在的城市经济密不可分，发展相辅相成，港口因城市的快速发展而实现其价值，城市又因港口的快速兴盛而崛起（史浩，张玉婷，2018）。港口城市作为连接外向经济的重要通道，在经济发展中承担重要角色；它是国家或某地区对外开放和合作的重要窗口和桥梁纽带（汤晓龙，2017）；是亚非欧国家互联互通的区域性核心支点，也是"一带一路"建设和发展的重要载体（马莉莉，黄光灿，2019）；它在拥有先天优势的地理位置的同时，还拥有较为完善的硬件配置，是各类企业汇集的关键基地，聚集了大量的人流与物流，对当地城市经济的发展也具有一定的影响力，并为城市经济的发展提供了重要契机（孟庆源，2019）。

当前是全球经济化成为主流的时代，单一而有封闭型发展的港口城市已不存在，而现代化港口城市兴起的势头越来越猛。现代化港口城市是城市类型的一种，它与其他城市存在一定的共性，同时又基于现代化港口体系和临港产业体系而拥有特殊的个性。其中心是以发展工业为主体，利用港口发展海资源产业、深海加工产业以及与港口相关的配套性服务产业（姚闯，2019）。它是港口城市发展的高级阶段，发达的港口经济、和谐的港城关系是其区别于其他港口城市的重要特征。因此，现代化港口城市应是指那些具有发达经济、较高科技实力，在全球经济社会文化交流合作中扮演重要角色，并拥有发达的、有较大国际影响力的港口体系城市（陈长江，周威平，2012）。

现代化港口城市的发展与世界大格局演变是连在一起的，总的来说，大致经历了三个阶段：一是以农业、矿产业开发为主要特征的工业化准备阶段；二是工业化阶段，该阶段港口城市的工业体系逐步建立，港口城市逐渐成为原料和市场的中心区位、工业中心以及商业中心；三是后工业化阶段，港口城市开始面向海洋和内陆腹地，并在港口工业的基础上，港口城市开始向商贸中心、金融中心、信息中心以及旅游中心发展，逐步趋向综合一体化（任月红，何介强，2017）。若要发展成为一个现代化港口城市，经济发展指标、生活与社会指标、基础设施与生态环境指标均应该达到要求，除此之外，还应具备一定数量的跨国公司总部，拥有一定的外国金融机构，具有一定的国际旅游业的发展水平（藏学英，任万军，2003）。

基于这个标准，近年来，虽然中国—东盟的港口城市的经济实力有进一步的提升，现代化港口城市形态初显雏形，港口城市的信息化、国际化、都市化水平均有明显提高，同时生态文明和文化特色也初见成效，但港口城市发展还存在不平衡的问题，全面实现把港口城市建设为现代化港口城市的任务还很艰巨。这种港口城市发展不平衡的问题，主要表现为港口的建设和发展等方面的不平衡，具体来说有以下几点表现：一是港口基础设施水平参差不齐。港口基础设施建设最完善的是新加坡，其次是中国、泰国、马来西亚，其港口基础设施比较发达，印度尼西亚、越南、菲律宾比较落后，其港口基础设施建设落后于世界平均水平（杜军，鄢波，2016）。二是港口建设合作机制上存在一定不足。多年来，中国—东盟双方签订了多项合作协议，港口相关机制建设方面虽然已经取得许多重要成果，但仍然存在不足，如双方港口合作机制主要以官方交流协商为主，而民间和企业沟通机制存在明显的不完善；常设联络机构比较缺乏，导致难以统筹协调各方意见，各方行动难以一致，合作效率较低等（王玫黎，吴永霞，2018）。三是技术标准对接需要进一步改进完善。中国和东盟国家在港口物流管理标准、港口物流基础标准、港口物流信息标准、港口物流技术标准以及港口物流服务标准这五个方面上还没有实现标准化的完全对接，从而导致中国与东盟港口建设的标准化程度比较低（陈秀莲，张静雯，2018）。四是港口物流信息条件不足。主要表现为物流网络通信平台建设力度不够；网络通信平台所提供的信息量不全面，导致港口日常运作存在问题；缺乏先进的网络通信设备和通信技术，使港口物流的功能不能得到很好的发挥和利用（撰文，施梅超，韦方园，2018）。

为了解决这些阻碍中国和东盟港口城市发展为现代化港口城市的问题，可以从这几个方面去落实：首先加快港口的发展，使港口向现代化港口发展。现代化港口应服务于国家现代化，以港口为中心的经济振兴，社会进步，从而适应内外需求，在服务中求生存促发展，以加速港口的发展和振兴（苏德勤，1999）。其次改进和完善港城关系的建设。港口和城市之间是相辅相成的，应注重港口和城市间的双向互促作用，以做到"以港兴城，以城促港"，也就是港口的发展将促进依托港口的城市的发展，反过来，城市的繁荣也将促进依赖城市的港口的繁荣（杨伟，宗跃光，2008）。最后，加强港口城市间的合作。港口城市间的合作有助于提高经济贸易、商业和金融的发展，可以增加财政收入，同时还能提高社会服务水平（潘心怡，2018）。坦桑尼亚前总理平达认为港口城市间的合作，对于打通安全高效的海上通道，实现国际交通便利化，有着重要的作用。

第二章　文化融通及港口城市合作理论

第一节　文化融通理论

文化是不同国家和民族沟通心灵和情感的桥梁、纽带。古代丝绸之路是东西方不同区域文明交流与文化融通的开端,而今,"一带一路"沿线国家历史文化的融通与发展,正在成为"一带一路"沿线国家共同发展和民心相通的重要基础。文化融通是人类社会文化发展的主流趋势,也是新时代中国特色社会主义文化建设面临的重要命题。经济大发展,贸易大交流的最终目标是文化融通。

中国与东盟国家或山水相连,或隔海相望。自古以来,我们的祖先就共同生息、繁衍在亚洲这片热土上。远亲不如近邻。地缘这根纽带把中国与东盟各国紧密联系在一起,无论在中国,还是在东盟国家,随处都可以看到双方文化交流、影响、融合的印记。中国和东盟各国人民之间的传统友谊源远流长、历久弥新。

在经济全球化和区域一体化背景下,推进中国—东盟文化融通,促进中国—东盟港口城市合作,实现中国—东盟命运共同体建设的战略目标,必须坚持以硬实力、软实力、巧实力为引领,促进以政府主导、市场推动和社会参与的文化融通产业助推中国—东盟命运共同体建设的治理框架,实现基于中国—东盟命运共同体建设的中国—东盟文化产业发展格局和目标达成,重点强化增加中国—东盟文化融通发展,为中国—东盟文化及其产业繁荣发展提供强有力的保障。

同时,不断扩大中国—东盟文化融通的发展,按照政府统筹、社会参与、市场运作的思路，注重发挥文化及其产业发展的整合、认同、带动和建构效应，统筹中国—东盟舆论引导，加强中国—东盟文化融通能力和话语体系建设，增进中国—东盟人民之间的了解和认同，携手建设中国—东盟命运共同体。

文化融通是港口城市合作与产业优化升级的必经阶段，文化融通要求文化产业的优化升级必须建立在产业成熟的基础之上。文明是多元的，中华文化强调"和实生物，同则不继"，和谐共处而不趋同，这不仅是中华文化流传千年的精髓，更是对外文化交往所坚持的态度。文化融通的精髓在于交流双方的深入学习沟通，并且需要成熟的文化产业承担这一重要角色。

一、文化融通的空间承载理论

中国—东盟文化融通是中国与东盟各国不同文明之间的彼此承认、平等交往和理解沟通。从民族本真性的"生活语境"出发，诠释了融通主体间承认、交往和沟通的过程。中国—东盟文化融通的承载是文化区位的空间表达，是文化景观的空间交互，是文化扩散的空间对接。就中国—东盟文化融通的空间区位而言，作为融通支点的主要国家、重要城市，以机能文化区为依托，以感性文化区为切入，由点及面地带动形成文化区，由此构成了中国—东盟文化融通的区位承载。在文化发展的过程中，每种文化事物或现象都要扩大它的空间辐射范围，其所辐射和覆盖的空间区域称为文化区。

中国—东盟文化是指具有某种文化特征或具有文化特征的人们在中国—东盟辐射空间中所占据的位置、度量的距离、指谓的方向。中国—东盟文化区有形式文化区、功能文化区和感性文化区等。

中国—东盟形式文化区强调中国与东盟各国的文化要素内涵，意指具有一种或多种国家文化特征的空间区域。中国—东盟功能文化区按照中国—东盟行政或某种职能划分，强调机能的综合影响与规制，意指在人为状态下形成的，具备一定政治、经济和社会功能的空间区域。它由一个中心向周围和边缘发挥着辐射、协调与指导作用，在某些情况下与形式文化区会相互重叠。中国—东盟感性文化区强调对中国与东盟各国区域的认知，意指依据某种区域意识而形成于头脑中的空间区域，它既存在于区域内居民的心目之中，也得到区域外人们的广泛承认，是自认为或被认为的文化区。

中国—东盟文化融通空间区位的逐层推进，演绎着文明互鉴的空间融通。功能文化区、形式文化区和感性文化区的重要性与其区域范围并不必然呈正相关关系，其区位边界也不一定具有明晰的空间定位，三者是相互交织重叠的嵌套形态：功能文化区的中心一定是感性文化区的中心，感性文化区的边界随着功能文化区的拓展而得到进一步延伸，进而带动形式文化区的生长，使得形式文化区在不同区域得到扩散。中国—东盟辐射空间内部的不同文明、种族、国家以形式文化区、功能文化区和感性文化区为载体，通过不同形态文化区的相互交织作用，在彼此边界拆和、变动和伸缩，强化区域间的文化联系与互动，以此促进多元文化间的互通互鉴和共同繁荣，形成世界跨文化融通新格局。推动中国—东盟共同体各个文化区的文化沟通以及文化空间区位格局创设，对于中国—东盟共同体不同文化区以及附着之上的文化系统之间的互通互鉴具有重要的理论与现实意义。

就中国—东盟文化融通的空间景观而言，自然景观、人文景观和工程景观相互嵌套、相互支撑，推动了中国与东盟各国多元文明的往来沟通，构成了文化融通的实体依托。自然景观是地表的原始基质和自然形态所形成的现实图景，从根本上决定着文化区内部生产、生活以及精神文化生活的基本形态和活动方式；人文景观是以自然环境为原始基质，在特定文化区的价值导引下所塑造的地表文化的空间复合体；工程景观是指人们以自身生产、生活的特定需求而建筑具备特定功能的固态建筑和基础性设施。实体景观以这三种表达式的类进行了内涵性、意向性、价值性的空间展示与承载，在现实性上诠释了作为载体的物质形态对文化的保存、延续和传播。自然景观、人文景观、工程景观三者层级嵌套，是人化自然的主体化构筑，人们赋予不同景观以主观意向和价值意涵，使之成为人文情怀和特有功能的文化实存。

二、文化融通的空间演进理论

中国—东盟文化融通的空间演进是系统结构的空间拓展，是层次链接的空间延伸，是文化嵌入的空间内衍。就中国—东盟文化融通的系统结构而言，情感、利益、价值共同组成空间的演进系统。价值是文化的内核与灵魂，体现着民族本真性的精神特质，多元文化的融通是个体或群体在感情上、心理上趋同的过程，文化融通的过程是凝聚人心，达成共识，整合观念与维持秩序的最佳途径。文化融通形成的理性自觉构成了支配人们行为的价值导向与行为准则，它涵盖了维持人类群体及其文化整合与发展的归属意识，"是一个与人类文化发展相伴随的动态概念，是人类文化存在和发展的主位因素"。

中国—东盟文化融通空间演进的系统结构，以不同的空间区位、实体景观及文化扩散，嵌入不同文明之间的彼此承认、平等交往和理解沟通，形成集情感空间、利益空间、价值空间等多维一体的叙事结构与演进向度。情感空间是价值传播与融通生成并导引空间演进的第一个层次，其拓展与构建依托符号语码信息的多维创设。情感空间于文化语境的价值模型中形成对跨文化参与主体的文化熏陶与感染，包括言语信息与非言语信息的传达与接收，实体符号、文化景观、文化产品的多维创建、输出以及群体叙事的补充，形成具有文化特质的文化语境。利益空间是文化融通空间演进的中间层次，构成了文化嵌入导引融通的物质基础和实体依托，它在价值语境的导向中实现利益的佐证和支撑，是文化扩散和理解沟通的层次递进。价值空间的顶层建构是不同文化之间的核心要旨，也是跨文化融通必要性的现实价值。跨文化区通过实体景观进行的文化扩散，构筑了情感空间、利益空间以及价值空间的融通系统。

中国—东盟空间演进的文化嵌入是对承载价值内涵的文化符号的设计、组合以及形塑，形成一定的符号语义系统从而进行价值叙事。在此过程中，明晰文化嵌入的目标以及对象群体的文化需求与价值内涵至关重要。中国—东盟文化融通的空间演进表征着由认知、评价、建构的心理模式而产生的转化、发展和运用。中国—东盟空间演进的文化嵌入于原生空间的扩展与建构中，形成情感移情的心理归属；竞争与分配的工具性空间中培育强化认同的价值引领；价值传播与体认的理解空间中达成理性认同的价值归旨。心理归属、价值引领、价值归旨的演进逻辑共同形塑了中国—东盟文化融通空间演进的系统结构与层次链接，同时也决定了文化嵌入导引认同的理念与策略。

三、文化融通的空间叙事理论

中国—东盟文化融通的空间叙事是符号翻新的空间明示，是隐形承载的空间涵化，是内涵展示的空间映射，共同构成了叙事空间的解读逻辑。就中国—东盟文化融通的明示符号翻新而言，实存管理、记忆优化、编码转码所进行的文化标识、往事缩影和形象性意指，是符号指向在空间所进行的意义赋予、内涵诠释、意向翻新。

空间叙事是价值嵌入与历史再现的方式，是文化嵌入与文化体验的重要环节。空间叙事就是空间中节点、符号、内容结合的态势，以此作为信息由发送者传达给接受者的过程。"文化是由共识符号系统载荷的社会信息及其生成和发展"，文化符号承载的语义信息是多元文明在长期的历史发展过程和生产实践过程中创造的物质财富和文化财富的凝结，是被继承下来实现价值传承的文化载体。新的境遇和情境赋予文化符号以新的当代释义、解读以及转化，时代精神和传统的融通，民族精神与世界潮流的对接，形塑着文化符号的翻新和明示。

中国—东盟文化融通的空间叙事通过文字符号进行文化嵌入与价值传播，不仅要创设文化空间情境、激发教育客体的情感、传递核心价值观的要求，而且要在理解认知的基础上建构传播客体关于中国与东盟各国社会发展的体认。中国—东盟文化融通的空间叙事本身是对空间文化心理的对象化、价值行为的意识化和叙事客体的主体化的促进，衔接的是文化情境之符号、情节和价值，其层次衔接的逻辑演进是为达到文化融通的系统目标。中国—东盟文化融通的空间叙事，对多元文明符号的翻新、重组与明示不是传统意义上的置换或者是拿来主义，而是结合时代潮流的新质，对多元文明文化符号的创造性转化、发展与运用。

　　符号是指能够用来在某些方面代表其他东西的任何物象，文化作为符号与意义的集合体，是从"历史上流传下来存在于符号之中的意义模式，是一个由符号形式表达的前后相袭的概念系统"。"意指"，是"指研究能指—所指的关系模式，也即以整体的方式看待能指与所指"。在中国—东盟文化融通空间向度的文化扩散中，国家形象在很大程度上是通过本国各种文化符号所综合表征的文化意指来塑造的。因此，中国—东盟文化融通的空间叙事通过符号语码信息的翻新与多维互动，管理文化实存、优化文化记忆，把价值的传播与认同通过价值嵌入的形式来展开叙事，在参与式的对话模式中，结合时代和世界的潮流，把中华文化的符号加以转换，用新形式来承载与呈现。

　　就中国—东盟文化融通的隐形承载涵化而言，特殊关系函项、理想状态真值、内涵同构等值，是价值隐喻的主要内容、状态描摹、关系综义在空间的隐形表达置换。作为一个或多个能容纳不同内容的变项，函项是一种特殊的关系。作为关系的函项，给予了对象以函项的主目和主目所对应的函项值。具体的函项，既可以运用于个体式外延的概念，又可运用于谓词式外延的类，函项所运用的类指称为函项的前域，由此构成了函项的变程。中国—东盟文化融通的空间叙事借助特定语境的文本函项，形成巧妙、艺术化、具有文化色彩和人文情怀的隐形承载方式来嵌入价值，借助不同文化当中共通的思维情感、价值通感和感情互补来达成理解与包容的文化融通目标。真值是隐形承载本身所具有的真实值，就其诠释的理想状态而言，由于缺乏完全的现实解读通约，一般以约定真值和相对真值对隐形承载的涵化进行状态描摹。

　　在一定条件下，隐形承载实际值的测量初始表现为未知的量，通过内涵语境与外延语境等值关系的涵化，凸显隐形结构摹状的外延、规定真值的内涵，完成隐形表达的置换。隐形承载内涵与外延的指称推广到一般指称式建立起来的内涵同构，在卡尔纳普看来，称之为"L等值"的内涵相同。在"L等值"的情境中，外延内涵化历时差的等价，具有自反性、对称性、传递性的同一。中国—东盟境内外的文化交往随着经贸往来的频繁，流动地将文化信息渗透在日常的生活信息中，形成内隐性极强的社会认知。

第二节　港口城市合作理论探析

一、港口城市竞争与合作概念

在全球经济一体化发展的大背景下，国际、国内、区域合作不断加深，港口城市之间的合作和发展态势越来越成为区域经济一体化的重要组成部分，城市聚集和融合是中国与东盟各国促进区域发展的重要经验。

特别是近年来，中国与东盟国家间的港口城市合作与同城化程度不断加深，由两个或多个相互毗邻的港口城市协同发展而形成的港口城市圈蓬勃兴起，通过现代交通的对接建立与毗邻港口城市的紧密联系，形成集城市规划、政府管理、产业发展、商贸科教和公共服务为一体的具有强大辐射带动作用的都市圈，并在世界上富有影响力。

城市是一个有机体，其发展不仅需与周边区域竞争，也与周边区域有合作共生的需要，这种一定范围内城市间的竞争和合作，构成了其发展的基本特征。在中国—东盟共同体不断发展的背景下，城市之间的合作不仅包括城市群内部，而且包括更大空间的城市体系。

中国与东盟港口城市的合作不仅仅具有地缘基础，而且具有广泛的共同经济利益和文化共通。推动中国与东盟港口城市合作和协同发展是实现两地优势互补、互利共赢的必然选择。

从地理空间格局上看，中国与东盟十国毗邻而立，同根同源，陆路相通，山水相连，人口往返流动频繁，协同发展的因素早已存在。中国经济的发展为东盟提供了巨大的机遇。根据东盟与中日韩宏观经济研究办公室估计，到 2035 年，中国国内生产总值将达到 30 万亿美元，消费将占到 60%，这将为全球及东盟创造巨大市场。预计 2018 年到 2035 年，东盟出口到中国的商品总值将达到 10 万亿美元，中国对东盟的总投资额将超过 4 000 亿美元。预计到 2035 年，中国前往东盟的游客将达到 7 200 万人，消费约为 1 000 亿美元。中国蓬勃发展的经济也对东盟经济发展有启示和推动作用。

另一方面，东盟是共建"一带一路"的重点地区。当前，东盟人口年轻化程度高，经济增速较快，已越来越成为全球最重要的消费市场之一。预计到 2035 年，东盟经济增速将达到 6%，东盟各国国内生产总值之和将达到 7.8 万亿美元，人口达到 7.5 亿。从中长期看，与东盟深化区域合作，推动区域经济一体化，对中国发展具有举足轻重的意义，将为中国的经济增长带来机遇与市场。

城市竞争力是指一个城市在国内外市场上与其他城市相比所具有的积聚和转化资源、创造财富、提供服务以及辐射带动周边地区发展的现实和潜在的能力，是城市经济、社会、科技、金融、文化、管理等水平和能力的综合体现，反映城市的生产能力、生活质量、社会全面进步及对外影响。城市竞争力表现为参与竞争力的主体—城市，为获得自身经济的持续高速增长与发展，在社会、经济结构、价值观、文化、制度、政策等多个因素综合作用下创造和维持，并在其从属的大区域中进行资源优化配置，与区域内其他城市相比能吸引更多的人流、物流和辐射更大的市场空间，以推动地区、国家或世界创造更多的社会财富。

城市竞争是中观层次的竞争。中观层次的城市竞争与宏观层次的国家之间和微观层次的企业之间的竞争有所不同，但又以它们为基础。城市竞争力是基于国家竞争力发展而来的。国家竞争力是一个国家在世界市场经济竞争的环境和条件下，与世界各国的竞争比较，所能创造增加值和国民财富的持续增长和发展的系统能力水平。国际竞争力的核心是创造增加值和国民财富。国家竞争力的核心和基础是经济实力。国家是由许多区域组成的，而区域的政治、经济、科技、文化中心是城市。城市竞争力是一个城市经济发展水平、能力及潜力的重要标志。城市经济实力对城市的经济地位、水平、实力、潜力、竞争优势起着关键性的核心作用。企业竞争力是城市竞争力的构成要素，处于城市竞争力影响因素的基础地位，通过影响产业竞争力来影响城市竞争力。

城市竞争力的实质是资源的争夺。城市竞争力首先体现为资源的获取能力。城市发展需要土地、资本、人力资源、教育、科技、产业、市场、生态环境、管理制度等资源，其中多数是稀缺资源。城市之间的竞争本质上是对稀缺资源的竞争。只有获得更多的稀缺资源，城市发展才有坚固的基础。

城市竞争力的效益是创造财富和价值，推动区域发展。创造国民财富和实现城市价值是城市竞争力的核心内容与目的。一个城市的价值体现在城市形式高级化和城市价值最大化，主要是指城市有更强的经济实力，提供更高的生活水准，为城市居民带来更多的就业机会和发展机遇。城市是一定区域的发展中心。城市与周围区域的发展息息相关，城市兴衰影响着区域发展，城市是区域发展的导向和动力，城市对区域一般具有带领的作用。

二、港口城市合作的机理

（一）基于演化机理的港口城市合作机理

港口城市是一个有机体，其发展不仅需与周边区域竞争，也与周边区域有合作共生的需要，这种一定范围内港口城市间的竞争和合作，构成了其发展的基本特征。在中国—东盟经济一体化不断发展的背景下，城市之间的合作不仅包括城市群内部，而且包括更大空间的城市体系。

城市之间的合作主要有两种基本的形式。

一是新古典经济学传统，即将城市的合作看作是理性的经济人为达到利益最大化而实现均衡的结果，但是决策个体的理性是有限的，在动态多变的经济全球化中，任何个人都难以预测环境的变化，并且合作本质上是一个动态的非均衡过程。

另一种观点是演化经济地理学和演化经济学所倡导的演化思维，将创新作为决定城市合作模式的关键。达尔文在《物种起源》中阐述了生物演化的三个核心概念，即变异、遗传和自然选择。其中，生物演化的基础是变异，物种延续的保障是遗传，能够在适应的环境中生存下来的是自然选择，达尔文的生态系统理论和进化理论成为演化理论的基础。用演化理论来解释城市合作模式，具有很好的理论基础。演化理论强调的是动态非均衡过程，分析了城市合作的演化过程，能更为全面解释城市合作的有效性。

按照地理学和经济学的观点，城市合作的本质是为了追求更高层次和更大规模的协同效应和集聚经济，即更大规模的分享、匹配和学习效用。这些效应在城市合作中的有效性不仅依赖于交通、通信设施改善和地理集聚获得的地理邻近性，还依赖于不同主体之间的关系网络形成的厂商关系邻近性，更依赖于不同主体间本质文化接近的制度邻近性。这"三个邻近"是城市合作的关键。

首先，地理邻近性促进了中国与东盟国家港口城市知识的交流。这一特征可由经济地理学家们对创新活动集中性的解释反映出来。集中的区位使研究中心和大学发现的技术和科学知识易于传播；使获取模仿和改进设计所要求的默知的、未成体系的知识有了更容易的途径；并且确保了高技能劳动力和先进服务的随时可得性。此外，创新过程的复杂性和系统性说明了创新的累积性：最初的重大创新勾画出一条"技术轨道"，后续的增量性创新跟随初始创新，沿着这条轨道，知识才可在界定良好的技术范围内成长。在地区水平上，创新要素的需求与供给互相影响，互相促进。先进厂商通过扩散其技术和组织知识丰富了周边环境，同时周边环境也为它们的创新活动提供支撑。结果是研究和创新活动的累积，由此加剧了创新空间集中的自然趋势。

其次，厂商关系邻近性增强了城市交流。空间邻近性和经济文化的同质性加强了经济主体之间的协同效率，各经济主体间的协同性支撑着集体学习和知识社会化进程，从而产生了小厂商的动态优势。

经济和社会关系在社会环境中有两种不同的形式：第一种是消费者与供应商之间、私人经济主体与公共经济主体之间的一套非正式的"非贸易"关系，以及一系列因职工工作流动和厂商间模仿而产生的知识转移。第二种形式是更正式的、贯穿整个区域的合作协议，这些协议存在于技术发展、职业和在职培训、基础设施和服务供给等领域的厂商、集体参与者以及公共机构之间。厂商关系邻近性不仅有利于创新过程中风险和不确定性的降低，而且有助于交易成本降低引起的常规和战略决策的事前协调，更能加强集体学习和社会化过程。

最后，制度邻近性使得创新过程更有活力。制度邻近性把焦点转移到了制度方面，具体是指根植于区域环境中的社会、经济和文化规范。主要观点可被总结为如下几点：现代经济的主要资源是知识，因而一个经济体的竞争力所依赖的主要过程是学习和知识的获取。并且，创新的复杂性和系统性以及近年来技术变革导致的产品生命周期的缩短，都使得学习成为一个相互影响的过程。从另一方面来讲，学习来自厂商和当地科研系统之间、厂商内部不同部门之间（生产和研发部门间、营销和研发部门间）、生产者和消费者之间、厂商和社会制度结构之间的合作及相互影响。创新过程需要厂商内部不同部门间以及厂商与外部经济主体间的反馈、相互依赖与补充，这也表明了组织学习中互相协助与互相影响的必要性。创新越来越成为个人或他人经验基础上非正式学习过程的产物，这种学习过程致力于寻求专业技术、生产或市场问题的解决方案。这些不同特点导致了创新过程的高度地域化：它源于不同的传统、规范、习惯、社会风俗及文化习俗，这些东西共同构成了制度氛围。

（二）基于跨界治理的港口城市合作机理

跨界治理是在区域经济合作中，资源配置及政策工具运用跨越行政区边界所提出来的，这是宏观层面的跨界治理。这一概念强调了区域经济合作应破除行政区域的限制，突破不同行政区划的政府各自的"囚徒困境"，建立一种"超政府"合作的管理组织体制。解决跨界区域合作最理性的方法便是实行政府之间合作，在公共管理方面，中国与东盟各国港口城市政府间的主体地位是平等的，各政府之间不存在被领导和领导的关系，故跨界治理只有在平等的基础上展开，才能取得有效成果。

目前，中国与东盟各国港口城市跨界合作的方式主要有以下三种：行政首长联席制、网络治理途径、建立跨区域的港口城市协调合作组织。除了上述三种传统的港口城市政府合作方式外，整体性治理成为港口城市政府合作治理的途径。整体性治理采用的是"整合"化的组织形式，通过网络化结构、各种伙伴关系和正式的组织管理等范式，实现对公共服务的综合供给和公共问题的协商解决，实现资源的有效利用。整体性治理对区域公共管理政府合作具有重要的应用意义。

首先，整体性治理为中国与东盟港口城市政府之间的合作提供了新思路。以整体主义为思维方式、以解决问题为一切活动的起点，在此基础上构建一个跨组织的、将整个社会治理结构结合而成的治理结构。这不仅克服了内部视野狭隘、部门主义和各自为政的弊端，而且提高了不同行政层级、不同公共部门和政策范围内复杂问题的应对能力。

其次，整体性治理为中国与东盟港口城市政府合作治理提供了一种新模式。在政府部门内部，横向地方政府将智能相近、业务相似的部门进行整合，设置综合政府机构，并采用"一站式"服务。在区域内各政府之间，利用超越行政区的方式联合治理公共事务，在区域内提供公共服务。

最后，整体性治理有利于克服中国与东盟港口城市某些地方政府不合作和"搭便车"等问题。整体性治理强调政府公共利益的整体最佳和整体效果最优，但并不否认城市间利益分配的基本原则，即整体治理允许在合作中贡献越多的城市，得到利益越大。同时整体性治理也要求经济实力较强、获益较多的一方应对经济实力较弱、收益较少的一方予以补偿。

欧盟是跨界合作的典范。欧盟是世界上最有力的国际组织和世界上第一大经济实体，在贸易、农业、金融等方面趋近于一个统一的联邦国家，而在内政、国防、外交等其他方面则类似一个独立国家所组成的同盟。欧盟合作的价值不仅在于探索出解决困扰欧共体问题的一套特殊机制和体制，更重要的是，它为区域合作制度提供了新范式。首先，它是一种建立在共同利益原则、市场原则和区域认同之上的合作，这确立了合作网络权威。其次，它既摒弃了单一市场"看不见的手"的操作，也排除了地方政府治理中自上而下的统摄体制，倡导以谈判合作为基础、以激励相容为目的的协调和协商机制。最后，它突破了行政区划分的障碍，克服了地方治理的本位意志性。跨界治理"软化"了行政区域，对于化解区域内地方利益冲突与矛盾、构建激励相容的区域合作具有非常重要的作用。

（三）基于区域一体化的港口城市合作机理

区域经济一体化理论形成于 20 世纪中期，在此后的半个多世纪伴随着西方区域经济一体化实践而不断发展和完善，形成了丰富的理论体系和架构。1954 年，丁伯根（Tinbergen）第一次提出了经济一体化的定义，他将经济一体化分成积极一体化和消极一体化。1961 年，美国经济学家巴拉萨（Balassa）发展了丁伯根的定义，将一体化定义为一种过程的同时，也是一种状态，他认为区域经济一体化就是指区域内产品和要素的移动不受到政府的任何歧视和限制。

区域是一个整体，城市是其中的一部分。区域经济系统中最关键的是区域城市体系，不同规模的城市在区域内有序组合，凭借自身功能发挥各自独特的力量。区域经济一体化的演进过程本质上是区域内以城市为中心，各种经济关系向内渗透和向外扩张的过程。城市作为区域的中心，对整个区域经济的发展起着非常重要的作用，人类经济活动中的人流、物流、技术流、信息的运动能力和轨迹形成巨大的动态系统，分布在规模不同的城市，从而加强城市之间的联系与合作。

具体来说，在人流方面，人口的迁移是区域空间结构要素的重要组成部分，人口的流动主要通过三个渠道改变城市的发展。第一，人口的流动导致劳动力的空间再配置，新的人口集聚将扩大城市规模。第二，科技人员和劳动力的空间流动将导致区域发展能力的此消彼长，区域产业结构也会发生相应变化。第三，人口迁移带动了技术、投资和生产的流动，促使区域内新产业格局的形成。

此外，物流是中心城市对其周围地区以及交通线为载体进行联系的综合指标，物流的发展昭示着社会经济的发展和区域空间结构的进步。在技术流方面，技术在区域空间内进行扩散与传播。中心城市的科技溢出是区域经济持续发展的主要因素之一，区域中不同等级的城市科技差距较大，科学技术的进步及推广不但能改变区域中科技分布不平衡的状况，而且能促进城市间协调发展。另外，信息流主要是指从面对面的直接交谈到采用各种现代化的传递媒介。丰富的网络资源和现代化信息技术手段，加快推进城市间合作，实现信息资源共享。城市之间、城市与周围地区通过人流、物流、技术流、信息流等方面的联系，使区域内的城市得到不断发展。

第三节 港口城市合作的内容

一、基于演化机理的港口城市合作

从港口城市合作的协同演化来看，港口城市合作内容应该分为：信息交流、专题合作、经济一体化和制度一体化。

信息交流是港口城市合作的基础。信息交流的目的既能实现"信息共享"与"求同存异"，也能实现"相互学习"与"观念转变"。必须有一个从非正式的非定期的到正式的定期的信息交流过程，两城市才能找到共同利益点，进行实质合作，给城市合作以有效支撑。而对于有竞争的领域应遵循"求同存异"原则。有竞争的领域，对于交流的双方都很重要，但是随着城市合作的进行，那些领域的重要性便大大降低了，甚至会有合作的可能。

在新的信息时代中，生产力源于信息产生、信息处理和信息交流的技术。通信技术和电子通信在拓展信息的形式和内容中起着非常重要的作用，使得信息流的流速和流量空前膨胀。信息流的载体随着存储技术和电子传输的出现越来越广，如电视、广播及后来更加先进的互联网、电脑等。随着全球化和专业分工的不断深入，各国产业链越拉越长、不断细化，分工遍及全球。在产业链不断延长的同时，信息交流直接影响着城市协同合作，城市之间的信息合作有助于调动各方积极性，形成创新合力，提升总体核心竞争力。

交通对接有助于城市合作基础设施的完善。其中交通部门职能由单纯的道路水路行业管理转向公、水、铁、空等综合交通运输协调服务；交通发展由主要依靠基础设施投资建设拉动转向建设、养护、管理和运输服务协调拉动；交通发展由数量规模扩张型转向质量安全效益型；交通建设由资源消耗型、依赖型转向资源节约型、环境友好型；交通建设由以部省投资为主转向多元化筹资；交通运输由传统的客货运输转向现代服务业。

以港口为主题的专题合作是港口城市合作的支撑。在信息交流的基础上，中国与东盟港口城市之间可以进行一些专题合作，如中国——东盟博览会，使城市之间交流更加紧密，为进一步的经济一体化打下良好基础。若没有专题合作，则城市合作就会空洞，城市合作的效果会减弱。城市合作的原因是地理位置邻近的城市间在发展中所形成的差异性和功能上的互补性，这种互补性有利于城市间长期协调发展。在该系统中，处于不同梯次的城市，可以通过垂直分工来加强产业联系；处于同一梯次的城市，可以通过水平分工来加强产业间的关联度。专题合作是城市体系中合作的支撑，城市合作在一定区域内，建立区域性行业协会，加大各类专题交流，如资源合作、战略合作、协调合作等，促进城市区域合作进一步向纵深迈进。

经济一体化是指在一定区域内，制定统一的财政与金融政策、对内对外经济政策等，消除国别之间阻碍贸易与经济发展的障碍，实现区域内协调发展、互利互惠和资源优化配置，进而形成一个经济与政治高度协调统一的有机体。随着中国——东盟城市专题合作的深入推进，中国与东盟国家城市之间逐渐形成一个共同的经济协作体，有共同的市场，无关税，无贸易壁垒，人才、资源、资金等经济要素自由流动。

制度一体化是城市演化过程的本质。要形成稳定持续的一体化合作，应保持城市合作，实现制度一体化。每个城市虽然在经济、社会、文化及管理等方面有各自的特点，城市的行政隶属关系复杂，但要实现合作，不仅应互相尊重、消除互相壁垒，而且应该在市场化制度与政府管理模式上实现协调，进一步促进城市之间向跨地区产业整合阶段发展。

中国与东盟港口合作城市之间必须有一定的协议和文件约束，也就是说，城市之间制定统一的政策，城市间以一种紧密的组团形式参与外部竞争。

二、基于跨界治理的港口城市合作

在人类经济社会发展过程中，实现政治权力、经济权力、社会权力的均衡高效配置，是促进城市和区域经济持续发展的重要动力之一。在世界范围内，承载不同政治权限、权力半径各异的各级各类行政区单元（上至国家、下至一个行政村），是世界政治体系和经济版图的基本组成部分。权力排他性的封闭行政区治理，当面对基础设施大连接、市场大流通大融合、各类要素大流动、生态圈联系更紧密的全球化新时代时，如何处理好封闭型行政区与开放市场型经济区之间的关系，克服行政区划对跨区域经济融合发展带来的阻隔作用，进而构筑更大范围、更加高效的产业分工体系、资源配置体系、市场经济体系以及更加公平均衡的公共服务体系，越来越成为各级政府治理体制改革的一个重大挑战。

中国与东盟各国港口城市跨界合作的方式可以有以下三种：

第一，行政首长联席制。该种制度是在特定的行政区域内，港口城市政府为解决特定跨区域中的公共管理问题而形成的一种政府合作形式。本着"平等协商、协调行动、互利互惠、多方共赢"的原则，签署《合作框架协议》《合作宣言》等文件，加强中国与东盟港口城市之间重大基础设施项目、产业布局、生态建设、对外开放等问题上的联系，建立健全的区域合作机制。

第二，网络治理途径。政府网络作为一种分析工具，被引入到公共行政学和政治学，并用来分析城市之间的复杂关系。政府网络是与市场、政府相互区别又介于两者之间的第三种治理模式和社会结构形式，参与主体通过对资源的依赖和经常性互动，培养出一套解决问题的具有共同价值的方式。这种城市合作模式具有四个方面的特征，分别是：行动主体的相互依赖性、网络成员交换资源和协商利益的持续互动、城市之间的互动按"游戏规则"进行并产生信任、政策网络具有自主性且自我治理。

第三，建立跨区域的港口城市协调合作组织。该组织是指在经济、空间和社会发展等方面关系密切的地区所构成的共同体，为实现优劣互补，保证彼此之间交流顺畅、共同建立沟通联络和制约调控的社会组织。建立跨区域的协调合作组织不仅能为交流工作思路、考察重点合作项目、借鉴工作经验提供机会，而且有助于协调区域内的各项事务，减少摩擦。

三、基于区域一体化的港口城市合作

一体化是指多个原来相互独立的国家或地区通过某种方式逐步在同一体系下彼此包容，相互合作。一体化过程既涉及国家间经济，也涉及政治、法律和文化，或整个社会的融合，是政治、经济、法律、社会、文化的一种全面互动过程。由于它涉及主权实体间的相互融合，并最终成为一个在世界上具有主体资格的单一实体，因而它不同于一般意义上的国家间合作，涉及的也不仅仅是一般的国家间政治或经济关系。

区域经济一体化主要包括自由贸易化、关税同盟、共同市场、经济联盟和完全的经济一体化的五种形式。

自由贸易区（Free Trade Area），是指签订自由贸易协定的成员国彻底取消商品贸易中的关税和数量限制，使商品在各成员国之间可以自由流动。自由贸易区是在一体化组织参加者之间相互取消了商品贸易的障碍，成员经济体内的厂商可以将商品自由地输出和输入。自由贸易区从自由港发展而来，通常设在港口的港区或邻近港口地区，尤以经济发达国家居多。早在 20 世纪 50 年代初，美国提出：可在自由贸易区发展以出口加工为主要目标的制造业。20 世纪 60 年代后期，有发展中国家利用这一形式，并建成特殊工业区，发展成出口加工区。20 世纪 80 年代开始，许多国家的自由贸易区向高技术、知识和资本密集型发展，形成"科技型自由贸易区"。

关税同盟是成员国在相互取消进口关税的同时，设立共同对外关税，成员国经济之间的产品流动无须再附加原产地证明。关税同盟的主要特征是：成员国相互之间不仅取消了贸易壁垒，实行自由贸易，还建立了共同对外关税。也就是说，关税同盟的成员除相互同意消除彼此的贸易障碍之外，还采取共同对外的关税及贸易政策。关税及贸易总协定（General Agreement on Tariffs and Trade，GATT）规定，关税同盟如果不是立即成立，而是经过一段时间逐步完成，则应在合理期限内完成，这个期限一般不超过 10 年。

共同市场指的是各成员之间不仅实现了商品的自由流动、建立了共同对外关税，还实现了生产要素和服务的自由流动。共同市场是区域经济一体化所形成的利益共同体，其特点是成员国间完全取消关税壁垒，并对非成员国统一关税，成员国之间资本、劳动力自由流动。共同市场比关税同盟更进一步，它也允许参加国之间资本和劳动力自由流动，欧盟于 1993 年年初实现了共同市场。在共同市场中，成员国让渡多方面的权力，包括进口关税的制定权、非关税壁垒，特别是技术标准的制定权、国内间接税率的调整权、干预资本流动权等。南方共同市场是巴西、阿根廷、乌拉圭、委内瑞拉和巴拉圭等南美洲国家的区域贸易协定。1991 年巴西、阿根廷、乌拉圭及巴拉圭四国签订《亚松森协定》，并于 1994 年增修《黑金市议定书》，确立共同市场组织架构。成立宗旨为促进自由贸易及资本、劳动、商品的自由流通。

经济联盟是指成员国之间在形成共同市场的基础上，进一步协同它们之间的财政政策、货币政策和汇率政策。当汇率政策协调达到成员国共同使用统一货币时，这种经济联盟被称为经济货币联盟。经济联盟比共同市场又进了一步，它协调甚至统一成员国之间的货币和财政政策。现在常把经济联盟用在企业与企业之间，为了某一种经济利益而达成一致意见，而形成一个团队，互惠互利，共同发展。在经济联盟中，成员国不仅让渡了建立共同市场所需让渡的权力，还让渡了指定干预内部经济的货币和财政政策，以保持内部平衡的权力，还让渡了指定干预外部经济的汇率政策，以维持外部平衡的权力。完全的经济一体化在为实现经济联盟目标的基础上，进一步实现经济制度、政治制度和法律制度等方面的协调，乃至统一的经济一体化形式，逐步实现经济及其他方面制度的一体化，是经济一体化的最终阶段。一体化的基本特征在于自愿性、平等性和主权让渡性，其核心是国家主权的让渡是一个长期的、渐进的过程，在这一过程中制度化和法律化就成为实现一体化的基本前提和保障。当今世界上一体化程度比较高的组织包括欧盟、北美自由贸易区和东南亚国家联盟。

第三章　中国—东盟文化特征及文化融通

　　人类传统的观念认为，文化是一种社会现象，它是人类长期创造形成的产物，同时也认为文化是一种历史现象，是人类社会与历史的积淀物。确切地说，文化是凝结在物质之中又游离于物质之外的，能够被传承的国家或民族的历史、地理、风土人情、传统习俗、生活方式、文学艺术、行为规范、思维方式、价值观念等，它是人类相互之间进行交流的普遍认可的一种能够传承的意识形态，是对客观世界感性上的知识与经验的升华。

　　文化是相对于经济、政治而言的人类全部的精神活动及其产品，是智慧群族的一切群族社会现象与群族内在精神的既有、传承、创造、发展的总和。它涵括智慧群族从过去到未来的历史，是群族基于自然基础上的所有活动内容，是群族所有物质表象与精神内在的整体。

第一节　中国文化特征

　　历史上，中华文化发展从未出现过断层，且出现了几次大规模的文化融合。从秦始皇统一中国建立起大一统的中央政权开始，中华文化历经艰辛，经历了数千年多民族、各地域文化的融合发展，形成了一个以汉民族文化为主、多民族文化共存的文化体系——中国文化。

中国文化的发展特征，可归纳为三点。

首先，它极具多样性。文化从广义来说是人类创造出来的所有物质和精神财富的总和，中国 960 万平方千米的辽阔土地上，14 亿人口56 个民族和谐共处，创造出灿烂的文化硕果，这块土地上不同地区不同民族的文化既独特又共通，并最终汇合成了异彩纷呈的中国文化。

其次，它具有顽强的生命力和创新性。中国是四大文明古国中至今唯一存在的国度，中国文化是四大文明中唯一持续传承至今的文化，其顽强的生命力不言而喻。文化不是一成不变的，中国文化古有诸子百家争鸣，今有社会主义核心价值观以及社会主要矛盾变化的重要论述，无不体现了中华文化"取其精华，去其糟粕"的发展历程。在继承优秀民族传统文化的基础上，不断吸收社会发展的现实依据，借鉴其他文明中的有益成分，从而促使中国文化不断创新发展，充满生机与活力。

最后，中华文化具有较强的融合性。中国文化的丰富多样性又体现了其较强的融合性，虽然历经多朝代变革、皇权更迭，甚至外族侵略等磨难，但最终都无法将中国文化割断，反而使得这些时期的文化特色融合进中国传统核心文化当中，成为中国文化的一部分。

中国优秀的传统文化，是中华民族强大和团结的源泉，也是国家建设和发展的推动力。它是华夏文明数千年的锤炼结果，已经深入中华儿女的思想意识和行为规范中，渗透到中国社会政治、经济、文化的方方面面，它已成为影响国家、民族发展的强大力量。

第二节　东盟文化特征

东盟全称东南亚国家联盟（ Association of Southeast Asian Nations，ASEAN ）。成员国有马来西亚、印度尼西亚、泰国、菲律宾、新加坡、文莱、越南、老挝、缅甸和柬埔寨。其宗旨和目标是本着平等与合作精神，共同促进本地区经济增长、社会进步和文化发展，为建立一个繁荣、和平的东南亚国家共同体奠定基础，以促进本地区的和平与稳定。东盟成立之初只是个保卫自己安全、利益及与西方保持战略关系的联盟，其活动仅限于探讨经济、文化等方面的合作。1976 年 2 月，第一次东盟首脑会议在印尼巴厘岛举行，会议签署了《东南亚友好合作条约》以及强调东盟各国协调一致的《世界国家公园大会的巴厘宣言》。此后，东盟各国加强了政治、经济和军事领域的合作，并采取了切实可行的经济发展战略，推动经济迅速增长，逐步成为一个有一定影响的区域性组织。

在东盟十国中，马来西亚体量并非最大，人口规模和国土面积位居中等甚至偏下，但经济指标和国际行为能力却在东盟国家中居于前列，并曾连续 7 年是中国在东盟国家中最大的贸易伙伴。习近平同志在会见马来西亚总理时指出，马来西亚是古代海上丝绸之路沿线重要国家，也是最早响应"一带一路"倡议的沿线国家，与中国同为亚洲崛起的中坚力量，中马互为重要发展机遇和合作伙伴；印度尼西亚是东盟创立国之一，也是东南亚最大经济体，它的人口仅次于中国、印度和美国，居世界第四。在中美战略竞争背景下，中国领导人更加重视东南亚在周边外交布局中的重要性，印尼成为中国对东南亚区域外交的首要对象和中国"21 世纪海上丝绸之路"倡议的重要伙伴。2019 年，泰国作为东盟轮值主席国，实现了可持续发展目标总指数东盟第一、国际游客数量东盟第一，同为东盟成员国中第一个与中国建立全面战略合作伙伴关系的国家，中国已经连续 6 年成为泰国的最大贸易伙伴。中泰间的"可持续发展的伙伴关系"，不论是对泰国还是对中国而言都至关重要。越南是东南亚大陆国家进入中国的通道和桥梁，2020 年一季度，中越双边贸易额占中国与东盟贸易总额的 25%，早在 2018 年，越南已经超过马来西亚成为中国第一大东盟贸易伙伴。中国驻越南大使熊波表示，中越两国深化经贸投资合作还有巨大潜力，双方正加强"一带一路"和"两廊一圈"发展战略对接。新加坡是东南亚地区的新兴工业化国家，在本地区经济发展与地区合作中发挥着龙头作用。2018 年底，中国与新加坡升级了双边自由贸易协定，两国关系发展势头良好，在当前中国与东南亚国家共建"一带一路"的过程中，新加坡也积极参与，不断强化与中国的合作，给双方的发展都带来了难得的机遇。

综合考虑，本书选取马来西亚、印度尼西亚、泰国、越南和新加坡五个国家为代表，深入分析各国的文化特征，为中国与东盟的文化融通提供参考、让读者对各国文化的认识更加清晰。

一、马来西亚文化特征

马来西亚（Malaysia），简称大马，首都吉隆坡，实行君主立宪联邦制。全国分为 13 个州和 3 个联邦直辖区。13 个州是西马的柔佛、吉打、吉兰丹、马六甲、森美兰、彭亨、槟榔屿、霹雳、玻璃市、雪兰莪、登嘉楼以及东马的沙巴、沙捞越。另有首都吉隆坡、布特拉再也（布城）和纳闽 3 个联邦直辖区。全国面积共 33 万平方千米。人口约 3 266 万。其中马来人 69.1%，华人 23%，印度人 6.9%，其他种族 1.0%。马来语为国语，通用英语，华语使用较广泛。

在取得独立之前，马来西亚经历了英国百余年的殖民统治，英国"分而治之"的殖民统治政策极大地影响了马来西亚的社会文化观念。马来西亚马、华、印各族都有自己传承下来的文化，这就使得建国初期的马来西亚三大族群之间本身就已经存在很大的沟壑。在这样的背景下，不同程度的民族文化隔阂和利益冲突必然存在。随着国家的建设发展，族群之间磨合与共融，在马来西亚政府以及各族民众的共同努力下，马来西亚实现了国家的繁荣发展，也实现了多民族之间关系的和谐稳定。纵观过往，马来西亚文化中体现了以下几点特征。

第一，以族群多元文化著称。多元文化，是指文化具有多样性，并承认不同文化之间的平等与相互影响甚至互相融合。1957 年 8 月 3 1 日，马来亚联合邦在英联邦内独立，成为一个主权国家。马来亚自此从一个封建的、传统的国家开始迈向资本主义的、民族的新兴国家。独立初期国家建构的目标是建立一个多元包容的独立民主国家。这就意味着，在发展国家的同时，调和不同族群之间的矛盾与冲突，也成为政府政策的重中之重。

第二，和而不同，尊重不同民族的特有文化，同时保持国家思想统一。马来人、华人、印度人人口总和占到马来亚总人口的 90%，马来人信仰伊斯兰教，使用马来语，认同"马来至上"；华人信奉中国传统儒家文化以及坚守中国传统民族习俗；印度人族群生活以宗教为主导，日常生活与宗教息息相关。不同族群之间迥然不同的文化习俗使得其思想意识形态呈现出多元化且不可统一化的特点，为了化解民族冲突，马来西亚政府采取的是承认各族群地位平等，承认各族群文化特质，理解各族群文化差异，但同时把族群观念纳入国家思想的政策，这就从宏观上把国家内多民族思想意识与国家意识达成了统一，减少了民族之间、民族与国家意识之间的敌对意识，促进了国内各族群之间的和谐共存。

第三，"马来优先"政策。尽管马来西亚政府宣扬多元马来西亚、尊重各族群文化，承认各族群民众地位平等，提倡马来西亚各族群和谐共处，但同时却又立法强调马来人的特殊地位，努力塑造以马来文化为基础的国家文化，推行"国民教育政策"。如国家规定宗教自由，把伊斯兰教定为官方宗教，为马来人制定各种优惠政策，包括在政治、经济、教育等方面的准入政策，推行"大地之子"政策等。在文化教育方面则强化马来语、马来文化在国民教育中的主流地位，并对其他族群语言与文化活动加以限制，加大对马来人教育的特别扶持，例如华文学校如需要政府加大扶持，则必须进行改制等。长期占据主导地位的巫统政党中，也认为"马来西亚是马来人的马来西亚，马来西亚民族应以马来人为核心，以马来文化为特征，并将国家看作是维护马来文化、实现马来族群使命的制度性组织"。也因此，马来民族主义下的马来西亚族群文化，与同样面临族群文化的新加坡相比，形势更为复杂。

二、印度尼西亚文化特征

印度尼西亚共和国（Republic of Indonesia），国土面积约 200 万平方千米。人口约 2.62 亿，为世界第四人口大国。有数百个民族，其中爪哇族人口占 45%，巽他族 14%，马都拉族 7.5%，马来族 7.5%，其他 26%。民族语言共有 200 多种，官方语言为印尼语。约 87% 的人口信奉伊斯兰教，是世界上穆斯林人口最多的国家。6.1% 的人口信奉基督教，3.6% 的人口信奉天主教，其余信奉印度教、佛教和原始拜物教等。

第一，文化多样性堪称东南亚之最。印度尼西亚是全世界最大的群岛国家，疆域由横跨亚洲及大洋洲的约 1.7 万个大小岛屿组成，又称"千岛之国"，是多火山多地震国家。有数百个民族，民族语言 200 多种，虽然为全球最大的伊斯兰教国家，但伊斯兰教并非为国家宗教，印尼宪法中也明确规定，印尼是一个世俗国而非伊斯兰教国家。民族、宗教、文化呈现多样性，是东南亚国家共有的文化特征，而印度尼西亚特殊的地理位置、国土状况以及国家发展历程等历史原因使得其国家文化多元性特点位列东南亚国家之最。

第二，作为多民族、多语言、多宗教的群岛国家，印度尼西亚文化多元性特征突出，但由于种种因素影响，印度尼西亚对于外来文化尤其是中国文化的包容性相对较低，这一状况近年来有所好转，但多年的排华政策在印度尼西亚社会中依旧存在。所谓包容性，是指对象国在对外交往中对他国文化兼容并蓄的意愿与能力。一方面，以爪哇和伊斯兰教为特征的印度尼西亚主流文化强调"互助合作"与"协商一致"，具有一定包容性。对于不涉及主流文化内核的外来文化或非主流本土文化，印度尼西亚表现得较为宽厚包容，并会在长期交流过程中相互借鉴与融合。但另一方面，基于维护民族独立与国家统一的需要，印度尼西亚对任何可能影响主流文化内核甚至颠覆主流文化地位的外来文化，都会表现得相当警惕和戒备，甚至引发激进的排外思潮。在苏哈托时期，印度尼西亚对华的歧视和压迫政策，使得华人文化被不断磨灭。苏哈托时期结束后，印度尼西亚对华人文化日渐开明，呈现出积极的态势，但由于过去长期的压迫和排华政策对民众的影响，印度尼西亚广大社会群体中排华思想以及对华人文化的负面情绪依旧存在且将长期存在。

第三，尽管为较发达的发展中国家，处在东南亚地区，但印度尼西亚的经济地位及国际影响力在全球举足轻重。印度尼西亚国土面积广阔，人口位列世界第四，仅次于中国、印度和美国，人口红利大，市场内需大，能源、自然资源丰富，为印度尼西亚本国的经济持续发展，提供了有力保障。印度尼西亚为东盟创始成员国之一，凭借东盟的元老级别国家，以及东南亚地区首屈一指的大经济体，印度尼西亚在东南亚地区甚至整个亚太地区的国际事务中占有一席之地。自 2008年起，每年举办"巴厘民主论坛"，迄今已举办 12 次。

三、泰国文化特征

泰国全称泰王国（The Kingdom of Thailand），国土面积 51.3 万平方千米，人口约 6 900 万。全国共有 30 多个民族。泰族为主要民族，占人口总数的 40%，其余为老挝族、华族、马来族、高棉族，以及苗、瑶、桂、汶、克伦、掸、塞芒、沙盖等山地民族。泰语为国语。90%以上的民众信仰佛教，马来族信奉伊斯兰教，还有少数民众信仰基督教、天主教、印度教和锡克教。泰国于公元 1238 年形成较为统一的国家，先后经历素可泰王朝、大城王朝、吞武里王朝和曼谷王朝，原名暹罗。16 世纪，葡萄牙、荷兰、英国、法国等殖民主义者先后入侵。1896 年英法签订条约，规定暹罗为英属缅甸和法属印度支那间的缓冲国，暹罗成为东南亚唯一没有沦为殖民地的国家。19 世纪末，拉玛四世王开始实行对外开放，五世王借鉴西方经验进行社会改革。1932 年6 月，民党发动政变，改君主专制为君主立宪制。1939 年更名泰国，后经几次更改，1949 年正式定名泰国，实行君主立宪制。

第一，充满泰国特色的佛教文化，抑或是充满佛教气息的泰国文化。泰国文化与佛教信仰息息相关，佛教对泰国文化影响巨大，无处不在，寺庙、僧侣、佛龛随处可见。泰国国教为佛教，泰国 90%以上的民众信仰佛教，上至国王下至平民一生都尊佛、礼佛。泰国佛教文化也独具特色。如泰国男子一生至少需要出家 3 个月，新居落成、婴儿出生、婚丧葬等场合都要邀请法师诵经祈福，寺庙是人们进行集体活动、节庆活动的重要场所。在泰国人心中，寺庙不仅仅是一座单纯的佛教道场，它如一座学校，让人们接受佛法的教育；又犹如一座医院，为人们开解生活烦恼，治愈心灵创伤。所以宗教带给人们的这种终极精神关怀已经渗透到人们生活的各个角落，使得泰国的宗教信仰形成一种文化定式，推动着人们良性的人际交往以及对自我人生的反省。因此泰国也被称为"微笑之国"。

第二，崇敬皇室，庄重严肃的皇室宫廷文化。历经几个王朝的传承发展，皇室确立了自己的统治权威以及在泰国人心中的绝对权威。表达无上敬意的皇室用语、严谨有制的皇家礼仪、庄重规范的皇家服饰、森严明确的皇室阶层等，无不体现着泰国独有的皇室宫廷文化。在泰国大街小巷以及民众家里，随处可见供奉着大大小小的国王画像或是皇室成员画像，尤其九世王普密蓬·阿杜德殿下，他体恤民情、为子民奔走，爱民如子，赢得了泰国人民的热烈拥护和忠诚爱戴。

第三，独具一格的旅游文化。提到泰国，人们脑海里的第一个想法应该就是"旅游胜地"。泰国独特的旅游资源使得旅游业成为泰国外汇收入的主要来源之一，也是泰国的支柱产业之一。集购物、娱乐为一体的国际大都会中心曼谷、坐落在城市之间的佛塔寺庙和古迹、别具特色的节庆文化、白云沙滩海岛风情、鲜香的泰国美食、让人血脉偾张的泰拳、最古老的动物大象、神秘妖娆的"人妖"秀等，无不吸引着全世界各地的人们到泰国一游。泰国并没有像中国、印度一样有着悠久的历史或是丰富的文化遗产，也不是经济发达国家，未处于世界的中心，它却凭借自身的魅力，向全世界传递出了属于自己的泰国文化，向全世界人们展现着它迷人优雅的风采。

四、越南文化特征

越南全称越南社会主义共和国（The Socialist Republic of Viet

Nam），国土面积约 32.96 万平方千米，人口约 9 620 万（2019 年 11 月），有 54 个民族，京族占总人口 86.2%，岱依族、傣族、芒族、华人、侬族人口均超过 50 万。主要语言为越南语（官方语言、通用语言、主要民族语言）。主要宗教为佛教、天主教、和好教与高台教。

第一，中华文化在多元融合的越南文化中不可分割，同根同源。越南与其他东南亚国家不同，东南亚其他国家与中国有过朝贡关系，但越南却在历史上很长一段时间属于中国的藩属国，划归到中国版图内。因此越南深受到汉文化影响，哪怕后期融合了印度、法国、美国等文化，越南的国家制度、宗教信仰、民俗习惯、人们意识形态、传统价值观等方面也体现出了浓郁的汉文化特色。

第二，越南宗教文化中的印度文化。同东南亚其他国家一样，宗教信仰在国家文化中也占据重要地位，越南宗教文化受印度文化影响深远。印度文化输入越南主要以宗教文化输入为主，在越南，宗教众多，有佛教、天主教、基督教、道教、和好教、高台教、伊斯兰教等，其中佛教就来源于中国与印度的影响，而中国的佛教也同样来源于古印度，故印度文化，尤其是印度佛教文化，对越南宗教文化的形成和发展，产生了极其重要的影响。印度宗教文化传入越南，代表的是一种文化辐射，这种文化辐射通过和平的、自愿的形式，逐步渗透到越南社会，内化为越南民众的生活信念。

第三，以法国为代表的西方外来文化在越南的文化体系中随处可见。走在越南的一些城市街头，时常可见高高的拱门、阳台、柱子和极度对称带有浓厚法国特色的建筑，如河内歌剧院、西贡圣母院大教堂。富有的越南人仍然喜欢建造具有法国建筑特色的别墅，而公共建筑往往也钟爱样式简朴的法式建筑风格。1885 年法国对越南实行殖民统治，到 1954 年越南和法国签订《日内瓦协议》，越南一直是法属印度支那的三个国家之一，由于法国长达 60 几年的管制历史，法国文化在今天的越南影响还是根深蒂固的，法国文化已经成为越南生活的一部分。和法语一样，今天我们所看到的越南语只是罗马字母文字，因为法国殖民当局采用了传教士亚历山大·德罗兹所创造的罗马化越南文字，沿用至今，这是法国对越南带来的一次重大的文化影响。

五、新加坡文化特征

新加坡全称新加坡共和国（ Republic of Singapore ），国土面积 724.4 平方千米，总人口 564 万（ 2018 年 12 月 ），公民和永久居民 399 万。华人占 74%左右，其余为马来人、印度人和其他种族。马来语为国语，英语、华语、马来语、泰米尔语为官方语言，英语为行政用语。主要宗教为佛教、道教、伊斯兰教、基督教和印度教。

第一，文化多元和谐。东南亚国家或多或少都有着文化多元的特性，但新加坡多元文化的和谐性，在整个东南亚地区，应该是首屈一指的。新加坡文化呈现出多元性的特征，与其为一个移民国家分不开。1819 年，英国人史丹福·莱佛士抵达新加坡，与柔佛苏丹订约，开始在新加坡设立贸易站。1824 年，新加坡正式成为英国殖民地。新的殖民地需要大量劳工与受雇佣者。于是，下南洋谋生的中国人、随着英国殖民扩张的印度人以及原来的马来人，逐渐形成了现在以三大族群为主的新加坡人口结构。随着移民而来的华人文化、印度文化、马来文化，随着殖民而来的西方文化，在新加坡这块土地上生根发芽。而新加坡建国以来采取的"国家信约"即"我们是新加坡公民，誓愿不分种族、语言、宗教，团结一致，建设公正平等的民主社会，并为实行国家之幸福，繁荣与进步，共同努力"制度，以及其促进各民族宗教和谐共处的措施，为新加坡民众和谐共处，互相交融渗透，为新加坡和谐多元文化的生成，打下了坚实基础。

第二，独具特色的峇峇娘惹文化。随着华人的日渐增多，华文文化与当地文化逐渐融合在一起，生成了特有的"峇峇娘惹文化"。峇峇娘惹，或土生华人，是 15 世纪初期定居在马来亚（当今马来西亚）、印度尼西亚和新加坡一带的明朝人后裔，是古代中国移民和东南亚马来人结婚后所生的后代。他们大部分人的原籍是福建或广东潮汕地区。

第三，新加坡的务实、开放精神。新加坡是发达资本主义国家，它的务实特征来源于西方资本主义的实用主义。实用主义强调"有用即真理"，这种主义随着西方殖民扩张来到了新加坡，并在新加坡留下了深刻的历史印记。新加坡独立后选择资本主义道路，必然会遵循资本主义所推崇的实用至上理论。而作为一个自然资源匮乏，但是地理位置极其优势的小国，现实情况让新加坡在如何发展国家的道路上深刻地认识到，必须扩大开放，发挥自身优势。新加坡是世界重要的转口港及联系亚、欧、非、大洋洲的航空中心。它是世界最繁忙的港口和亚洲主要转口枢纽之一，是世界最大燃油供应港口。有 200 多条航线连接世界 600 多个港口。2018 年港口处理货运总量 6.3 亿吨，集装箱总吞吐量 3 660 万标准箱。

第三节　中国与东盟文化融通现状

一、中国—东盟文化融通的历史与发展

中国—东盟的文化融通历经久远的历史，中国是一个多民族的国家，民族文化具有不同的特点，形成了以儒家文化为核心的文化价值体系。中国与东盟长期的文化交流，给东盟国家产生了巨大的影响。"中华民族的文化成果在东盟各国的政治制度、社会组织、宗教信仰、学术思想、文化教育、文学艺术、民风民俗等方面均产生了深远影响，从而使东盟各国加强内在联系并完善自身多元而有本色的文化体系。"（阮秋芳，2013:13-18）

中国和东盟的合作基础在于经济上的互利，文化融通是最终目标。文化融通进一步巩固双方的经济基础，扩大经济的合作和政治的互信，"尊重和利用中国—东盟文化的多样性来激发不同文化的活力与创造力，让生活其中的人民有更多更好的文化选择则是文化包容性发展的价值目标"。因此，以"一带一路"为发展的纽带，中国—东盟秉承共同开放、相互包容、尊重多样文明的理念，深化认识和理解双方的文化，推进民间文化交流、促进民心相通，共同打造一个文化融通的"中

国—东盟文化圈"。

二、中国—东盟文化融通的现状

（一）文化交流的内容呈多样化发展趋势，成果显著

中国—东盟建立对话以来，已陆续在政治、安全、商贸、科技、能源、交通等 11 个领域建立了合作机制，而中国与东盟之间文化融通的内容，也逐渐扩展到教育、学术、图书、新闻、出版、艺术、文体、广播、电视、电影、文物、科学、旅游、节日、习俗、语言、文字、科技等诸多方面，可以说，双方的交流已遍及物质文化、精神文化和制度文化等多个层面。从 2005 年开始，中国和东盟共同签署了《中国—东盟文化合作谅解备忘录》，备忘录将文化确定为双方重点合作领域，这是中国与区域组织签署的第一个有关文化交流与合作的官方文件。2014 年第二届中国—东盟文化部长会议，签署了《中国—东盟文化合作行动计划（2014—2018）》，为未来 5 年的双方文化合作规划了方向，标志着双方文化合作交流进入全方位发展阶段。

（二）中国—东盟文化往来形式增多，程度加深

随着中国—东盟合作交流步伐的加快与日益稳健，中国—东盟文化融通交流的形式也从"最初单纯的工艺品交换、文艺演出等，向组织文化研讨会、开展文化考察、培养艺术人才等多形式的交流模式转变"。再加上日渐成熟、合理优化的交流融通机制的形成，更是增进了双方文化交流的深度。作为中国—东盟文化交流与合作重要平台的中国—东盟文化论坛，其前身为中国—东盟文化产业论坛，首届于 2006 年在南宁召开，开启了中国与东盟文化交流与合作新篇章。中国—东盟文化论坛举办 14 年来，在文化产业、艺术创作、文化遗产、公共服务、节庆活动、艺术教育等多个领域拓展了对话与合作的空间，搭建了中国与东盟在人文领域事务交流的高层次平台，推进了中国与东盟的文化交流合作。

三、中国—东盟文化融通存在的问题

文化交流促进文化融通，形成文化认同，而中国和东盟国家的文化认同需要一个过程，达到这个共同的目标仍存在现实性的与非现实性的因素，在"一带一路"背景下实现中国—东盟文化融通的目标仍存在一些现实性的问题。

（一）文化实力现实差距

首先，东盟国家文化复杂多样，文化差距明显。一方面东盟国家的政治体制不同，政治体制的差异影响了政治文化的复杂性，进而形成了不同文化价值观。受传统历史因素的影响，东盟国家的整体文化实力分散而不统一，导致东盟国家内部难以形成统一的文化价值观。另一方面东盟国家经济发展水平不同，文化软实力也不同，在传统文化和现代文化融通过程中仍存在一些实质上的差距，影响了东盟国家对外文化交流的一致性。其次，中国的文化软实力不断增强。作为一个拥有悠久历史的大国，我国文化内涵丰富，形成了自身独特的文化体系，文化软实力不断加强。"一带一路"背景下的文化交流过程中，中国展现出强大的文化实力，不少东盟国家表示希望搭上中国这辆快速发展的列车，减少国家经济、政治发展的压力。但是由于东盟国家与中国发展和文化软实力的差距，文化交流中缺少信任是不可避免的，特别是科技发展方面，中国在科技方面取得了世界瞩目的成就，而东盟国家在这方面的发展存在一定缺陷，某种程度上影响了中国—东盟的文化融合。

（二）文化交流的不对称

文化交流是不同主体文化接触、认识的开始，文化融通是文化交流的目的。中国和东盟的文化交流不是一厢情愿，需要双方的共同推动，然而从中国—东盟文化交流来看尚存在不对称。首先，表现在旅游业上，旅游业作为一项重要的文化交流举措，是发展民间文化交流的重要平台。据统计，2018 年中国和东盟国家双向人员往来超过 5 500 万人次，其中包括中国访问东盟近 3 000 万人次，东盟国家来华旅游约 2 540 万人次[①]。这说明中国和东盟旅游人数不断增多，但是东盟国家到访中国的人数仍然相差甚远，从中国和东盟的人口总量来看，这个数据还是有所欠缺。其次，双方留学人数不对称。据教育部统计，东盟国家来华留学生从 2010 年的约 5 万人增长到 2016 年的超过 8 万人。在 2015 年，中国—东盟互派留学生逾 19 万人，其中以中国赴东盟的留学生居多，约为 12 万人，主要集中在新加坡、泰国、印度尼西亚、越南等。这说明两国的留学生逐年增长，但是仍存在一些差距，主要表现在三点：一是中国和东盟国家的人数不对称，数据比例相差很大；二是东盟内部国家来中国留学的人数不对称，主要是经济发展好的国家的学生来中国留学；三是去东盟留学的中国学生主要来自经济水平高的和城市。这说明中国和东盟仍存在巨大的差距，文化交流的发展态势仍需加强，不仅要在数据上达到目标，而且还要在交流的质量、培养的方式、互动交流的内涵上实现质的提升。

四、中国—东盟文化融通的对策

文化交流是当今社会发展不可阻挡的潮流，信息文化的共享意味着人类文明多元文化的交融，既要尊重、包容多元文化，又要客观理性地看待不同文化理念和文化价值观。东盟国家作为"一带一路"通往中东、非洲、欧洲的关键节点，地理位置相当优越，战略意义不言而喻，发展好中国—东盟文化融合事关全局。因此，中国与东盟的合作不仅限于经济上的利益交易，更需注重文化的交流。

---

① 数据来源：中国—东盟中心，http://www.asean-china-center.org/asean/dmzx/2020-02/4249.html。

（一）增强政治互信，构建政府间的文化交流机制

良好的政治互动会推动两国的文化交流，两国间的政治交恶会弱化两国的文化交流，甚至一旦产生激烈矛盾，会对政治和经济产生推波助澜的作用。中国与东盟国家领导人要在大局上和战略上保持良好沟通，尊重和认识相互间关切的核心利益，建立一套具有规约性的文化合作机制。一是建立领导人交流文化机制。中国—东盟（10+1）文化论坛是中国与东盟领导人政治沟通、文化交流的重要平台，是促进东盟整体与中国文化合作的关键纽带。领导人保持沟通是双方政治互信的体现，能为解决问题提供思路和参考、打开合作的路径。二是建立地方政府间的文化交流平台。地方政府间的交流是深入影响民间文化交流的中间纽带。中国与东盟国家应建立一套地方政府间的文化合作交流平台，如省级政府、市级政府、县级政府之间的文化交流机制，通过政府间的对话与交流，深化双方文化的认识和传播，拉近地方民众相互间的距离，促进地方性的文化融通。

（二）合理利用媒介，搭建双方的文化传播平台

互联网时代的文化传播占据主动性，是不可缺少的有效工具。中国—东盟文化融合需要借助媒介工具，传播好双方文化的真实故事，搭建通往双方文化融合的桥梁。一是构建由双方人员共同建立的新闻媒体，以"一带一路"为主线，用不同的语言传播同一种声音，用不同的文化模式在同一个平台上传播共同的理念，既要保持新闻传播信息的真实性、客观性，又要保证文化价值的有效性，充分使中国和东盟的人民认识、理解、尊重、消化、接纳、包容"一带一路"共同创造的文化。二是培育智库学者的文化交流机制。智库学者在文化交流中占据着重要的地位，且在政治、经济、社会等领域也扮演着关键的角色，他们的观点影响所在国民众和他国学者的看法。因此，中国与东盟国家需要搭建好智库学者交流的平台，为双方在各领域的交流提供便利条件，引导新闻媒体正确、客观、真实地报道，促进相互间的了解，推进双方的文化融合。

（三）构建开放包容的互动模式，树立文化共生理念

在充满多元文化的世界中，应该秉持一种相互尊重，以平等的身份、客观的眼光、包容的态度对待不同文明的态度。应在"异中求同"，在"同中促进"，共同推动不同文化的融通。中国与东盟顺应历史发展的步伐，在坚持文化以我为主的同时，展现开放包容、兼收并蓄、平等相待的姿态，促进中国—东盟文化的融合。一是尊重各民族文化的多样性。中国和东盟国家少数民族众多，文化多样，民风习俗差异明显，因而要相互尊重各民族的文化传统，以积极的姿态促进不同民族之间的交流。二是构建共生发展的模式，拉近民族文化之间的距离。中国少数民族和东盟国家的一些主体民族的文化相近，具有相通性，双方应充分挖掘本国民族文化价值，建立企业间、贸易间、经济间、民族文化产业间的对话交流模式，重视文化交流的分量，挖掘共同的文化价值，树立文化共生的理念，拉近不同民族文化的交流距离。三是对外来文化取其精华，去其糟粕。中国和东盟国家需要谨慎西方文化的渗透，特别是西方国家有形的和隐形的文化侵入，认清其本质，及时抵制；同时西方文化的存在是世界文明的一部分，不能采取全盘否定的态度，对待西方文明更需要以平等尊重的态度，取其精华，去其糟粕，做到为我所用。

（四）遵循多样性文化机制，提升文化交流的质量

中国—东盟文化交流从大局出发，强调整体文化对接的情况下，拓展多边的文化交流机制。一是推动旅游文化产业的双向交流。旅游文化产业既是提供收入的主要途径，又是民间文化互动的重要桥梁。推动旅游人数不断提高，举办双向文化旅游交流年，打造共同文化旅游产品，注重民间人文旅游领域的文化价值。据统计，2016 年中国—东盟双方互访人数突破 3 000 万人次。2018 年中国和东盟国家双向人员往来超过 5 500 万人次，其中包括中国访问东盟近 3 000 万人次，东盟国家来华旅游约 2 540 万人次。目前中国与东盟已互为最大的海外旅游目的地和客源地。二是发展多样的青年教育文化交流模式。中国

与东盟文化教育不仅提高整体人数，注重双向交流人数的比重，注重文化交流专业的配置，还重视民族语言文化的培育，共同开发文化教育上的文化内容，促进双方的文化认识。三是提升人才培养机制。在初等教育、中等教育、高等教育体系中，积极对传媒产学对接机制、人才需求分析机制、培养计划更新机制、培养方式转换机制、教育氛围营造机制、培养效果监测机制等机制进行研讨，提高人才培养的质量，发挥青年作为文化交流的接收者和传播者，为中国和东盟国家文化融通提供坚实的后备力量，同时推动"一带一路"不断推向前进，为中国—东盟人民带来实实在在的利益。

第四章　中国—东盟港口城市合作的内容

第一节　中国—东盟港口城市合作的经贸基础

一、中国—东盟经济基础

（一）中国—东盟经济概况

中华人民共和国成立 70 年以来，从现实情况出发，不断探索有效的发展战略、经济政策和制度形式，克服发展中国家面临的一系列挑战，走出了一条特色鲜明的自主发展道路，从一个极端贫困的低收入国家跃升为中等偏上收入国家、世界第二大经济体、世界第一制造业强国，创造了世界经济发展史上的奇迹。2019 年，中国 GDP 实现 99 万亿元，人均 GDP 为 7.1 万元，GDP 年增长基本保持在 6.1%，全年最终消费支出对 GDP 增长贡献率为 57.8%，资本形成总额的贡献率为 31.2%。目前，中国是世界上产业结构最完整、工业门类最齐全的国家，从工业化进程来看，中国总体上已经发展到工业化后期阶段，2020 年中国将基本实现工业化；中国制造业增长值已跃居世界第一位，尤其在信息技术、先进装备、新材料、生物医药等领域加速推进，数字经济等新兴产业也在蓬勃发展。在科技发展方面，中国科技研发投入迅速增长，科技实力大幅跃升；2018 年，中国研发总支出达 1.97 万亿元，位居世界第二，占国内生产总值的 2.18%，已经超过了欧盟平均水平；科技进步对中国经济增长的贡献率超过 58%，全国高新技术企业达

18.1 万家，科技发展极大地推动经济结构调整和产业转型升级。产业承接的梯次性和互补性不断增强，在数字经济、电子商务、智慧城市、5G 等新领域合作成效显著，中国东盟经贸合作"富矿效应"日益凸显。

此外，中国持续推进区域经贸合作，积极促进"一带一路"国际合作，加速实施自由贸易区战略，不断优化营商环境，港口经济实现跨越式发展，为中国—东盟港口城市合作奠定厚实的合作基础。目前，中国已基本形成自北向南五大港口群，环渤海地区、长江三角洲地区、东南沿海地区、珠江三角洲地区和西南沿海地区都各具发展特点，在港口发展中形成既有个体特色又体现整体发展的格局。2019 年底，国内全部港口拥有生产用码头泊位 22 893 个，是 1949 年的 142.2 倍，大型港口建设稳步推进，在总量规模不断增长的同时，港口产业加快转型升级，港口业务逐步由传统装卸仓储服务向上下游产业延伸，汽车、冷链等专业物流和大宗商品交易发展迅速，"智慧港口"成为新的增长点，逐步形成现代化的港口体系。同时，自贸试验区的建设与发展，已经在中国实现了沿海省份及港口城市全覆盖，投资和贸易进一步便利化，企业生产和交易成本逐渐降低，为国际贸易活动创造了良好的环境。

东盟地区经济增长、政局稳定。目前，东盟各国在落实《东盟互联互通总体规划（至 2025 年）》，基础设施建设需求强劲，急需引进国际优势产能支持基础设施升级发展和加强区域互联互通一体化进程。据亚洲开发银行估计，从 2016 年到 2030 年，东盟每年需要 2 100 亿美元的基础设施投资；而 2019 年发布的《"一带一路"国家基础设施发展指数报告（2019）》显示，东盟国家基础设施发展指数得分保持强劲发展势头，连续三年在"一带一路"地区排名中位居第一。具体来看，东盟国家基础设施发展指数排名前三的分别是印度尼西亚、越南和马来西亚。印尼发展指数为 138，位列第一。越南、马来西亚发展指数分别为 123 和 119，位居第二和第三位。而从总排名来看，印尼和越南同样位列 71 个重点国家的前两名。这 71 个重点国家当中包括 63 个"一带一路"沿线国家和 8 个葡语国家。2019 年东盟指数为 125，主要国家的指数排名均比较靠前。在东盟 10 个国家中，有 6 个国家的指数得分位列本年度排行榜前 20 位。印度尼西亚推出"国家重建计划"，进一步加快基础建设发展，大力投资机场、建设电站和海上高速公路等基础项目；柬埔寨国土规划与建设部的报告显示，2019 年上半年，柬埔寨建筑业的投资项目共有 2 047 个，总面积约 700 万平方米，投资总额达 33.92 亿美元，与去年同期的 21.53 亿美元相比，增长了 57.75%。泰国也表示其重要任务之一是促进和加快规划中的基础设施发展，这将成为未来泰国经济增长的重要推动力。

（二）中国—东盟合作平台基础

1. 中国—东盟自贸区的建成

为了顺应经济全球化、区域经济一体化的时代潮流，2001 年 4 月中国与东盟成立了自贸区联合研究小组，研究小组提交的联合报告在分析中国与东盟建立自由贸易区的经济利益和挑战时，提出了中国—东盟自贸区的建立，此后双方便正式开启了自贸区建设的进程。中国—东盟自贸区建设大致分为三个阶段，第一阶段（2002 年至 2010 年）启动并大幅下调关税。自 2002 年 11 月双方签署以中国—东盟自贸区为主要内容的《中国—东盟全面经济合作框架协议》开始，至 2010 年 1 月 1 日中国对东盟 93%产品的贸易关税降为零。第二阶段（2011 年至 2015 年），全面建成自贸区阶段。第三阶段（2016 年以后）自贸区巩固完善阶段。与中国贸易绝大多数产品亦实现零关税，同时，双方实现了更广泛的开放服务贸易市场和投资市场。

自贸区的建成给双方的经贸合作带来了极大的便利，也促进了双方的贸易和投资。首先，双方货物增幅明显。据商务部统计数据可得，2014 年中国—东盟双边贸易额较 1991 年双边贸易额增长 56 倍。其次，进出口比重反映了双边贸易依赖程度的提升。商务部统计数据显示中国对东盟进口贸易额占中国进口贸易额的比重 1991 年的 6.2%升至 2014 年的 10.6%，中国对东盟出口贸易额占中国出口贸易额的比重也由 1991 年的 6.2%升至 2014 年的 11.6%。再次，随着自贸区的正式建成，我国对东盟进出口贸易额实现持续增长，2019 年中国成为东盟第一大贸易伙伴，截至 2014 年中国已经连续六年是东盟的第一大贸易伙伴。最后，在日益深化的友好合作关系之下，双方的相互投资有增无减。据商务部数据显示，2003年到2006年期间，东盟对中国年投资额均保持在30亿美元左右，2007年和2008年的增幅较高，分别为20.6%和24.4%，截至2014年，东盟对中国直接投资均在60亿美元以上。

2. 中国—东盟博览会的举行

2003年10月在第七次中国—东盟"10+1"领导人会议上，中方倡议从2004年起每年在中国广西南宁举办中国—东盟博览会，这一倡议得到了东盟各国领导人的普遍欢迎。自2004年东博会落户南宁以来，东博会已有79位中外领导人、3100多位部长级贵宾出席，超过74.6万名客商参会，搭建了高层对话平台，推动中国—东盟友好合作迈上新台阶；建立了专业合作平台，推动中国—东盟经贸合作取得新成果；拓宽了"南宁渠道"，成为中国—东盟自由贸易区建设的"助推器"。中国—东盟博览会是中国与东盟经贸往来日益密切、互利共赢的积极实践，这一举措不仅延展了中国与东盟国家经贸合作交流的广度及深度，还推动了未来中国—东盟区域内各国经济更快更高发展。

东盟博览会以"促进中国—东盟自由贸易区建设、共享合作与发展机遇"为宗旨，涵盖商品贸易、投资合作和服务贸易三大内容，致力于构建中国—东盟自由贸易区升级发展的服务平台、中国—东盟命运共同体多领域交流的公共平台、21世纪海上丝绸之路合作的核心平台。2004年11月，首届东博会成功举行并永久落户南宁。2005年10月，第二届东博会首次推出"魅力之城"专题，此后每届东博会上各主办国选择本国具有代表性的城市作为"魅力之城"，综合展示其在贸易、投资、科技、文化、旅游等方面的发展和商机。2007年10月，第四届东博会确定文莱为首个东博会主题国，此后东博会每届确定一个东盟国家为主题国，主题国一般按东盟国家国名英文首字母顺序一次出任。2014年9月，第十一届东博会首次设特邀合作伙伴，此后每届东博会根据有关国家的申请和筹备情况，由东博会秘书处代表东博会各共办方邀请中国和东盟以外的区域全面经济伙伴关系（RCEP）成员国和"一带一路"沿线国家担任特邀合作伙伴，澳大利亚、韩国、斯里兰卡、哈萨克斯坦已相继成为东博会特邀合作伙伴。

与此同时，2013年习近平主席分别提出建设"新丝绸之路经济带"

和"21世纪海上丝绸之路"的合作倡议。这一倡议旨在发展与沿线国家经济合作伙伴的关系，顺应经济全球化、文化多样化的潮流。值得一提的是，从2014年起每届东博会突出"共建21世纪海上丝绸之路"主题，积极推动"海上丝绸之路"在重点合作领域推出先行项目、实现早期收获。王玫黎、吴永霞在《"一带一路"建设下中国——东盟港口建设发展研究》一文中指出："21世纪海上丝绸之路"现阶段的建设将以发展中国——东盟港口交通设施为重点，港口、产业、城市多方面合作联动，形成"海上港口网络"引领中国—东盟地区海洋和经济的合作与发展。

东博会正在拟定升级发展五年行动计划，计划用五年的时间，通过实施高层对话平台提升行动、专业合作平台提升行动、"南宁渠道"提升行动、服务广西全方位开放发展提升行动、带动广西会展服务业发展提升行动，加快推进东博会专业化、国际化、品牌化、信息化，将东博会初步建成中国—东盟自由贸易区升级发展的服务平台、中国—东盟命运共同体多领域交流的公共平台、21世纪海上丝绸之路与丝绸之路经济带有机衔接的核心平台、中国—东盟新型投资贸易促进中心，围绕中国—东盟数字经济合作年，以数字经济引领高质量发展、新一代信息技术推动产业转型升级为目标，以"创新合作"为重点，更加注重展品的科技含量和附加值，不断加强服务贸易国际合作，推进落地广西的国家级对东盟重大合作项目走深走实，全力服务中国—东盟合作和"一带一路"建设，推动中国—东盟经贸合作提质升级，促进双方在产业链、供应链、价值链进一步的深度融合。

3. 中国—东盟港口城市合作网络的生成

自2003年中国与东盟建立战略合作伙伴关系以来，双方开放市场，密切合作，在经济贸易往来、直接投资、次区域经济合作等方面都取得了显著成果。我们可以看到改革开放以来中国与东盟国家，特别是这些国家港口城市的合作早已悄然跟进，不论其最初是受何种原因的影响、以何种形式进行合作与交流，随着双方的合作升级，中国—东盟港口合作不断实现互利共赢。

港城互动是港口城市发展壮大的主线，它贯穿港口城市发展壮大的全过程。随着工业化、城镇化、信息化、市场化的深入推进，以及低碳时代对港口生态环境的标准和要求日益提高，在内外因素联合推动与作用下，港城互动出现许多新特点、新趋势。2013 年，以广西钦州为基地，连接东盟 47 个港口城市的中国—东盟港口城市合作网络应运而生，成为中国与东盟海上互联互通的重要合作机制。该合作网络通过完善机制建设、促进投资合作、深化文化交流等多项措施，为区域经济一体化发展带来无限可能。基于中国—东盟港口城市合作网络，中国与东盟各国发展了 39 家成员单位，涵盖了东盟国家主要港口，成功构建中国—东盟交通合作开放性机制和"一带一路"的海上桥梁。至今该合作网络一直致力于推进中国—东盟港口城市之间的全方位合作，通过完善机制建设、促进投资合作、深化文化交流，推动合作网络渐次铺开、海上互联互通做深做实、合作水平不断提高。目前，合作网络的成员已经发展到 39 家，覆盖了中国—东盟国家的主要港口机构。其中在中国—东盟海上基金的支持下，广西已在钦州市建设中国—东盟港口城市合作网络相关服务设施，包括水上训练基地、海洋气象监测预警中心、海上搜救分中心、中国—东盟海事法庭等；钦州港与关丹港、西哈努克港等也结为友好港，并正在与泰国林查班港商签缔结友好港；北部湾港与马来西亚巴生港结为友好港；钦州市与马来西亚关丹市建立了轮流举办"两国双园"活动的机制。这些设施与机制的建成和完善，为中国与东盟港口城市的经贸合作打下了现实基础。

中国—东盟信息港股份有限公司在中国—东盟港口城市合作网络机制下，发布中国—东盟港口城市合作网络信息平台。该平台是以港口城市合作网络机制为基础，致力于实现信息互联互通、通关便利化、在线物流撮合与交易，并提供金融和保险等增值服务。平台各参与方权益平等，共享平台服务，遵循使用而非占有数据的原则，保障数据方权益。平台将为用户提供全程物流跟踪、物流电子商务、一站式报关、跨境物流、金融保险等服务。作为 2018 年泛北论坛取得的一些系列务实成果之一，中国东信分别与泰国南荣码头股份有限公司和新加坡劲升逻辑有限公司签署了合作协议。双方将在国际港口物流信息互联互通，提升中国与东盟和"一带一路"国家之间的通关、贸易、物流便利化水平等方面开展广泛合作，共同推进中国—东盟港口城市合作网络信息平台的搭建和运营。目前，浪潮、华为、阿里巴巴等数字企业在广西的投资已形成智能制造、云计算大数据中心、核心研发、数字产业孵化一体的全产业链。

二、中国—东盟贸易基础

中国—东盟自贸区是我国对外商的第一个也是最大的自贸区，自2002年开始实施，2010年全面建成以来，在"一带一路"政策和自贸区各项优惠政策的促进下，中国与东盟各国双向贸易自2002年至今增长逾10倍，双向投资增长近5倍，其中广西与东盟的贸易额年均增长达到22%，经贸合作成果丰硕，进出口贸易不断扩大，东盟已经连续19年成为广西最大贸易伙伴。近年来中国与东盟各国积极采取措施，进一步优化贸易结构和投资结构，完善东盟经济共同体建设，中国与东盟经贸合作取得丰硕成果，合作共赢的步伐不断迈进，双方合作提质升级，贸易规模不断扩大，区域经济一体化成果显著。

从双边贸易发展情况来看，中国已经连续10年成为东盟第一大贸易伙伴，截至2019年7月，中国与东盟贸易额达3 457.3亿美元，东盟成为中国第二大贸易伙伴，仅次于欧盟；中国与东盟贸易占中国对外贸易总值比重13.5%，同期增长0.8个百分点。在中国与东盟十国的贸易中，中国向东盟出口1 950亿美元，同比增长9.1%；中国从东盟进口1 507.3亿美元，同比下降0.1%。中国与东盟贸易额排前三位的分别是：越南、马来西亚和泰国；而中国已经成为越南、马来西亚、泰国、新加坡、印尼、菲律宾、缅甸和柬埔寨最大的贸易伙伴，同时是老挝、文莱的第二大贸易伙伴。从贸易增长速度来看，中国与东盟中的七个国家贸易均增长，其中增速排前三位的国家是：柬埔寨（增长30.7%）、老挝（增长12.5%）、马来西亚（增长10.7%）。从贸易顺逆差方面来看，中国与东盟国家贸易为顺差排前三位的国家是：越南、菲律宾、新加坡；中国与东盟国家贸易为逆差排前三位的国家是：马来西亚、泰国、老挝。

中国从东盟进口贸易额排前三位的是：越南、泰国、新加坡；其中增速排前三位的是：文莱（增长 116.8%）、柬埔寨（增长 26.9%）、缅甸（增长 16.9%）。而中国向东盟出口贸易额排三位的是：越南、新加坡、马来西亚，其中增速排前三位的是：柬埔寨（增长 31.5%）、老挝（增长 21.5%）、越南（增长 14.3%）。

表 4-1　2012—2019 年中国—东盟双边贸易情况

年　份	进出口（亿美元）		出口（亿美元）		进口（亿美元）	
	累计金额	同比（%）	累计金额	同比（%）	累计金额	同比（%）
2012	3 599.60	9.3	1 831.30	19.3	1 768.20	0.6
2013.1—8	2 843.10	12.5	1 560.80	23.6	1 282.30	1.4
2014	4 803.90	8.3	2 720.70	11.5	2 083.20	4.4
2015	4 721.60	−1.7	2 777.00	2.1	1 944.60	−6.6
2016	4 518.00	−4.2	2 555.70	−7.8	1 962.20	0.9
2017	5 147.70	13.8	2 790.70	9	2 356.90	20.1
2018	5 878.70	14.1	3 192.40	14.2	2 686.30	13.8
2019.1—7	3 457.30	4.9	1 950.00	9.1	1 507.30	−0.1

数据来源：中国海关总署。

三、中国—东盟投资基础

从图 4-1 可以看出，东盟十国根据贸易投资指数得分从高到低分为四个投资梯度：国家层面贸易投资指数得分最高的是新加坡，属于第一投资梯度，新加坡也是东盟唯一的发达国家；第二投资梯度的指数得分在 68 分上下，包括泰国、马来西亚、印度尼西亚、文莱和柬埔寨；第三投资梯度的指数得分分布在 64 分上下，包括越南和菲律宾两国；第四投资梯度的指数得分在 59 分，老挝和缅甸的贸易投资指数得分最低。在投资合作方面，东盟成为中国企业对外投资的重点地区，截至 2018 年底，中国和东盟双向累计投资额达 2 057.1 亿美元，双向投资存量 15 年间增长 22 倍。2019 年上半年，中国企业在"一带一路"沿线对 51 个国家非金融类直接投资主要投向的 9 个国家中，东盟国家占 7 个，中国企业对东盟国家的直接投资大幅增长。同时，泰国自 2019 年初批准的来自中国直接投资增至 2018 年同期的 2 倍。在菲律宾方面，2018 年来自中国的投资批准额已经居于首位。

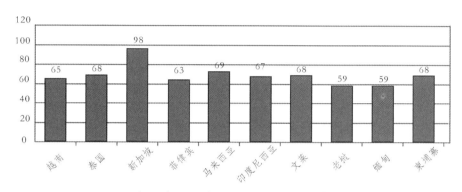

图 4-1　东盟十国国家层面贸易投资指数（2018）

（一）港口投资合作提速升级

港口投资合作日益升级，其中，广西北部湾国际港务集团投资建设了马来西亚关丹港和文莱摩拉港；信息联通加快推进，中国—东盟港口物流信息平台建成并投入使用；海上航线不断加密，彼此间港口的航线运营超过 150 条；通关便利化水平明显提升，中国已与新加坡开展 AEO 互认合作，与越南、马来西亚探索开展"两国一检"一站式国际通关新模式等。这些务实的成果显示着中国—东盟港口城市合作网络已从初创极转向发展极，成为中国—东盟深化合作的新平台新亮点。近年来，广西与东盟在相互投资合作项目上取得了突破。广西北部湾港国际港务集团与新加坡国际港务集团（PSA）等合资组建北部湾国际集装箱码头公司，投资设立北部湾港国际码头管理公司，共同经营和管理钦州港口码头。北部湾港还分别在马来西亚关丹港、文莱摩拉港进行了投资，也在推进与东盟其他国家合作开发建设港口的商谈工作。

（二）产业合作园区建设加快

位于广西钦州的中马产业园经过 7 年的开发建设，产业园区的产业项目布局正在加快形成，城市功能也逐步完善，国际化合作更是不断加深。截至 2019 年，园区总投资超过 150 亿元，开发范围超过 22 平方千米，注册公司超过 380 家，引进产城项目超过 140 个，随着产业园区基础设施的不断完善，一批高新技术项目相继投产，园区建设已经进入产业和城市项目加速建设的新阶段。与此同时，中马钦州产业园区与马中关丹产业园区共同开创的"两国双园"国际产业合作新模式，已经成为服务"一带一路"建设的先行探索和积极实践。产业园区的建设不仅对中国与东盟的经贸合作起到一定的推动作用，有利于巩固双方的友好合作关系，同时也促进了广西自身经济的发展。

在"引进来"的同时，我国企业还主动"走出去"。东盟国家是广西沿海港口城市对外投资的主要目的地。以广西北海为例，据统计，北海共有 22 个企业到东盟国家投资，中方协议投资额 25 853 万美元，投资涉及东盟 5 个国家，主要集中在柬埔寨、越南、老挝 3 个国家，投资的领域主要集中在电子信息、农业综合开发。其中，冠德（柬埔寨）有限公司电子产业园项目是目前北海最大的对外投资项目，也是广西最大的电子信息对外投资企业。产业园规划用地 2.0 平方千米，计划总投资 1.7 亿美元，截至 2017 年 8 月，已投入 5 578 万美元，开发建设面积 0.21 平方千米，招收当地员工 5 600 人，年产值 1 565 万美元，成为北海市深入实施国家"一带一路"建设、大力推动企业"走出去"，加强与东盟国家经贸合作的重要开放合作平台。

为支持广西企业参与"一带一路"建设，广西金融机构助推企业"走出去"，加快企业拓展海外市场的步伐。2016 年 10 月，由建行广西分行、中国进出口银行广西分行、农行广西分行组成银团与联合钢铁（大马）有限公司签订了 20 亿元人民币银团贷款合同，为广西"一路一带"重点推进项目——联合钢铁（大马）有限公司在马来西亚关丹钢铁项目的投资建设和运营提供贷款支持。国开行广西分行向柬埔寨加华银行发放境外项目人民币贷款 2 亿元，为加华银行在柬埔寨开展人民币业务提供流动性支持。2017 年 5 月，国家开发银行与中国港湾科伦坡港口城有限责任公司签署了等值 8.05 亿美元的贷款合同，并纳入 "一带一路" 国际合作高峰论坛签约成果，为该公司在斯里兰卡科伦坡港口城基础设施项目（一期）建设提供贷款。

（三）跨境金融合作进一步深化

近年来，中国主动加强与东盟国家的金融交流与合作，中国与东盟的金融合作稳步推进，一项项改革创新陆续实施，中国与东盟国家区域金融合作日益深化，"叠加效应" 明显。作为中国—东盟开放合作的前沿和窗口，广西是中国参与沿边金融综合改革试验区建设的两个省区之一，跨境人民币结算业务已基本涵盖东盟国家，形成广西—东盟跨境人民币资金汇划 "高速路"。在面向东盟金融开放门户建设的背景下，广西在推进中国与东盟国家开展跨境金融合作中起到了积极作用。

中国人民银行在 2015 年将广西南宁中心支行纳入广西与越南边境四省联合工作委员会广西方成员，首次组织广西金融访问团赴老挝、柬埔寨、越南三国访问，拜会了三国央行、证券交易所和主要金融机构，此行被三国金融机构称为 "破冰之旅"，初步建立起我国金融管理部门与三国央行的常态化联系形式。之后，中国人民银行出台了《关于金融支持广西边境贸易发展的指导意见》，推动中国银行总行在广西成立东盟货币现钞调运中心，成功启动越南盾和泰铢现钞的跨境调运工作。跨境反假货币工作（南宁）中心挂牌运行，积极创新口岸互联互通体系建设，促进互市贸易结算健康有序发展。广西金融辐射周边国家，服务中国—东盟开放合作的血脉作用进一步发挥。

同时，按照 "成熟一个、推出一个" 的原则，以市场化的方式积极推动人民币对东盟国家货币银行间区域交易市场建设。自 2014 年广西启动人民币对越南盾银行间市场交易以来，交易规模及交易主体数量稳步增加。2018 年，广西已有 6 家报价银行和 6 家参与银行开展人民币对越南盾银行间市场区域交易。在此基础上，进一步建立健全面对东盟国家的外币现钞跨境调运业务。越南盾和泰铢现钞的跨境调运工作成功启动，获批开展外币现钞跨境调运业务的银行涉及中国银行、农业银行、桂林银行等多家金融机构。中国银行总行正式在广西成立东盟货币现钞调运中心，打破广西银行业过去调运外币现钞需绕道香港和广东的局面，实现广西与越南、泰国货币现钞跨境调运，这是广西努力打造面向东盟拓宽跨境金融深度合作的举措之一。中国银行广西东盟货币现钞调运中心正式挂牌成立，广西东盟货币、人民币现钞供应与回笼的双向通道正式打通。随后，广西正式启动人民币对柬埔寨瑞尔银行间市场区域交易，中国银行广西分行等 7 家金融机构成为第一批参与行和报价行，向市场持续提供人民币对柬埔寨瑞尔的买卖双向报价，人民币在东盟国家"话语权"进一步加大。截至 2018 年 7 月，广西 22 家银行的 310 个分支机构开办了跨境人民币业务，2835 家企业办理了人民币跨境贸易和投资结算，103 个国家和地区与广西发生跨境人民币收付。人民币自 2014 年起成为广西跨境收支第一大结算币种。

此外，中国人民银行广西南宁中心支行不断探索跨境金融合作机制，努力推进广西与东盟国家贸易投资本币结算便利化，帮助企业规避汇率风险、降低交易成本，为广西金融业服务东盟、支持区域经济发展开创新路，同时也为进一步深化中国与"一带一路"沿线国家的经贸往来和经济金融合作提供有益的参考。广西在全国边境省份中率先开展了个人跨境贸易人民币结算试点。2014 年 4 月，在总结东兴试点经验的基础上，将个人跨境贸易人民币结算试点区域由东兴国家开发开放试验区拓展至整个沿边金融综合改革试验区，将业务种类拓展至跨境电子商务结算业务，并进一步简化结算手续。从试点开始至 2017 年年末，广西个人跨境人民币结算量达到 1 613 亿元，占同期广西跨境人民币结算量的 24%。

近年来，中国和东盟各金融机构都争先恐后在南宁建立了面向东盟的结算中心，办理各种货币清算、结算及其他相关业务，东盟十国都已经与广西开展了跨境人民币结算业务，广西也已经开展了 9 个东盟国家货币柜台挂牌交易。至 2013 年，广西跨境贸易人民币结算试点结算的人民币金额就达到了 2 023.5 亿元，此后 2014 年、2015 年、2016 年人民币结算金额分别为 1 561.2 亿元、1 722.83 亿元、1 709.69 亿元。

人民币继续保持广西第一大跨境支付货币地位，在全国排名靠前。

第二节　中国—东盟港口城市合作的海运基础

　　港口作为国际海运贸易的必经节点，伴随国际贸易流向兴衰。近年来，在"一带一路"倡议下，欧亚贸易需求不断提升，中国与东盟国家港口发展普遍被认为具有较强发展潜力。当前，中国国际海运量占世界海运量的三分之一，海上运输承担了 90% 以上的外贸货物、98% 的进口铁矿石、91% 的进口原油、92% 的进口煤炭和 99% 的进口粮食运输量，中国的海运交通运输已经成为加快发展外向型经济的重要支撑。中国与东盟建立"10+1"交通部长会议机制，签署《中国—东盟交通合作谅解备忘录》，标志着中国与东盟在交通领域正式开展合作。

一、中国—东盟港口基础

　　近年来，中国与东盟将港口和海运互联互通摆在首位，积极探索各个层次、各个区域的港口合作，不断深化参与双方港口基础设施建设，为进一步拓展港口城市合作奠定了坚实基础。截至 2018 年，中国的交通运输业投资年均增长 16.7%，形成了以铁路为骨干，公路、水运、航空等多种运输方式组成的综合交通运输网络。基础设施和基础产业投资迅速扩大，经济社会发展基础得到加固。目前，"一带一路"沿线交通基础设施互联互通取得积极进展，中俄同江铁路桥中方工程完工，中俄黑河公路大桥、巴基斯坦"两大"公路、巴基斯坦一号干线铁路、中老铁路、中泰铁路以及瓜达尔港、汉班托塔港等项目有序推进，中欧班列通达欧洲 15 个国家 49 个城市，中欧班列运邮国际小包业务开通至欧洲 23 个国家。同时，中国的沿海城市也进一步加快了对港口的建设，为中国与东盟的海运合作打下坚实的基础。我国正在广西、云南省建设陆路、铁路运输，同时也在广西的优良港口进行大力建设，东盟国家的海运可供选择的中国最近港口已经初具规模，我国西南产品的出海最近通道也可以减少大量的运输成本。由中国与东盟各国共建的陆海贸易新通道致力于提高区域各国的互联互通水平，自通道开通以来，极大提高了中国西部地区与东盟国家货物往来的便捷程度。

长江经济带综合立体交通走廊初步形成，长江干线港口铁水多式联运设施稳步建设发展，粤港澳大湾区、长三角一体化综合交通运输实现常态化，运输服务能力不断提升。据不完全统计，我国签署的双边和区域海运协定总数达 38 个，覆盖 47 个国家，海运互联互通指数位居全球第一；中国港口已与世界 200 多个国家和地区、600 多个主要港口建立航线联系，中国企业已参与 34 个"一带一路"建设参与国的 42 个港口的建设经营，在"一带一路"建设中扮演着重要角色。自提出 21 世纪海上丝绸之路建设以来，中国沿海港口改革发展取得了积极的进展与成果，在东南沿海及珠三角片区、环渤海片区和长三角片区形成了各区域港口建设和经济发展特点，形成加强海上互联互通建设，推进国际航运发展和自贸区建设的协同发展局面。

环渤海片区形成了以天津港为中心的"环渤海、海侧、全球"三层级海向网络体系，天津港货物吞吐量达 5 亿多吨，其中集装箱达 1 507 万标箱，位列世界港口排名前十；环渤海片区充分发挥海陆双向交汇"黄金支点"优势，实现了集装箱班轮航线开发和国际多式联运通道建设双向发展，拥有 30 多条海铁联运班列，打造了以"一带一路"沿线国家和地区为重要节点的现代物流网络。

作为大西南地区"最近的出海口"的广西，众多的港口是这座沿海城市的特色之一，北部湾港、防城港、钦州港、北海港、贵港港、梧州港、南宁港、百色港、崇左港、柳州港等，都为广西与东盟的经济贸易合作带来了极大的便利。其中，防城港为打造中国—东盟自贸区升级版先行区而奋力前行，10 年来，防城港产业基础不断增强、互联互通设施不断完善、开放合作深入拓展，完成东兴试验区的架构和运作机制的建设，建立东盟货币服务、全海景生态海湾城市加快形成、人民生活水平大幅提升、生态文明建设成效显著。

钦州在过去几年间与东盟的经贸往来不断加深，东盟国家是钦州最大出口市场和主要进口来源地。双方产业互补性也不断增强，东盟国家到钦州投资项目总额超过 15 亿美元，钦州企业到东盟国家投资的投资总额达到 3 259 万美元。此外在城市交往方面，钦州已与马来西亚关丹、柬埔寨努尔哈克等城市建立友好城关系，钦州港与缅甸仰光港、老挝万象港缔结国际姊妹港，并积极推进友城、姊妹港间在经贸、文化、旅游等领域的合作。

北海港作为广西壮族自治区的三大海港之一，是广西沿海港口群体中的重要商贸口岸。截至 2017 年，北海与东盟国家贸易额为 18.6 亿元，占全市外贸总额的 13.4%，东盟已成为仅次于香港的北海第二大贸易伙伴。北海市大力发展对东盟国家贸易，越南、菲律宾、柬埔寨是位居前三的主要贸易国。北海对东盟出口的主要商品是机电产品、电子信息产品、高新技术产品、水海产品、豆粕、皮革制品、农药等，进口的主要商品有镍矿砂及精矿、木薯干、润滑油基础油、机电产品、柴油、电子信息产品、高新技术产品等。据统计，近年来共有东盟 6 个国家计 51 个企业到北海投资，实际利用外资 4 644 万美元，其中新加坡、泰国、马来西亚是投资居前三名的国家，投资领域主要集中在制造业、房地产业、服务业等。涌现了卜蜂（北海）水产饲料有限公司、广西新龙燃气有限公司、北海新南洋建设开发有限公司等一批产生了良好社会和经济效益的企业。此外，北海与东盟国家签署达成合作项目 18 个，投资总额 25 233 万美元，中方投资总额 14 578 万美元，项目涉及的国家主要是越南、泰国、缅甸、柬埔寨、马来西亚和印度尼西亚，项目涉及的领域主要是农产品种植、加工、水产养殖、建材、机械制造业等。其中最主要的合作项目是 1997 年开通的北海赴越海上旅游航线。10 年来，该航线开航达 1 500 多个班次，接待游客50 多万人。

此外，在港口合作方面，新加坡港，马来西亚巴生港，印度尼西亚雅加达港、泗水港，菲律宾苏比克港，越南岘港、胡志明港等主要港口都表示愿意共同推动构建区域港口服务网络。中马港口联盟作为我国与马来西亚共建"一带一路"的先行和典范，2018 年完成集装箱吞吐量 271.6 万标箱，同比增长 24.7%，中马港口联盟成员单位已达到

21 家。广西北部湾港务集团在马来西亚关丹投资运营的深水码头和钢铁厂项目已初步形成港产城良性互动格局；中国国家交通运输物流公共信息平台已与马来西亚巴生港实现了船舶状态信息的互联共享，港口合作已形成常态机制。陆海贸易新通道相较传统运输渠道，通过新通道中转后，越南进出口至中国西部腹地的货柜可节省 10 天以上的物流时间以及一半以上的物流成本。为此，当前中国与东盟各国也在加强推动中国—东盟港口城市合作网络与新通道的联动发展，通过多式联运和跨境运输形成一体化通道网络，进而更好地参与新通道建设，为区域各国企业带来福祉。

二、中国—东盟海运航线分布概况

中国—东盟自加强双边贸易合作以来就建立了良好的港口合作关系，中国（广西）开辟了直达东盟多个国家港口的航线。当前，中国—东盟港口间的航线开通情况已经出现了新的态势，海上航线不断加密，中国港口至东盟国家港口班轮航线超过 150 条。仅广西北部湾港已开通通往东盟国家的直线航线就多达 15 条，该航线涉及新加坡、越南、泰国、印尼、马来西亚、缅甸等国的 14 个港口，每周 26 班外贸航线实现了东盟主要港口全覆盖，9 班内贸航线实现沿海港口全覆盖。

其中，防城港开通的主要航线有：防城→深圳蛇口→香港→新加坡→海防、深圳蛇口→香港→海防→防城→深圳蛇口、防城→香港→防城、越南胡志明→旗河→防城港、新加坡→海防→防城港→大铲→香港。钦州港开通的航线主要有：钦州→韩国→印尼→泰国→越南、钦州→广东盐田→深圳蛇口→越南胡志明→海南洋浦。钦州港已有中海、中远、中外运和新海丰、香港永丰、深圳海格、中海五洲航运等 20 多航运公司、航运物流企业入驻。钦州港已开通 16 条内外贸航线，其中 12 条内贸航线打通了"南北航线"，4 条外贸航线开通了钦州港至新加坡、马来西亚、泰国、越南的直航航线，辐射东盟国家和中国香港、台湾地区，已成为中国西南地区通往东盟最便捷的国际出海大通道。2016 年，广西北部湾—东盟的海上丝绸之路邮轮航线正式开通，从中国钦州、北海始发，直达越南的岘港、芽庄和马来西亚的关丹、云顶、热浪岛等著名旅游胜地。2017 年，开行"渝桂新（重庆—钦州）"南向通道试运行班列并实现上下对开。班列从重庆出发运行至广西钦州港东站，仅用时 48 小时，货物在港口完成通关手续后上船出海前行新加坡。至此，"渝桂新"铁海联运大通道实现双向贯通。通过"渝桂新"航线，货物从重庆到达东南亚各国家及全球各地，比江海联运模式缩短运输时间 20 天以上。2019 年 8 月，北部湾港至南非直航航线正式开通，这条航线的开通实现了北部湾港至非洲集装箱远洋航线零的突破。2019 年内开行至南安普顿（英国）、鹿特丹（荷兰）等欧洲港口的直航航线，实现了北部湾港——欧洲远洋航线零的突破。

第三节　中国—东盟港口城市合作的资源基础

一、自然资源基础

资源是一个国家或地区经济发展的决定力量，资源越丰富的地区，与航运中心之间的贸易往来就越频繁，就越容易成为许多国家首选的进口原料的供应地，就越能促进该地区的经济发展。就像太阳是万物生长的基础和条件一样，资源也是经济发展的基础和条件。可以说，人类的整个历史就是一部对资源进行开发和利用的历史。资源种类繁多，而且不同类型的资源其特征、存在形式和再生性等都存在各种差别，所以很难有统一的分类方案。本节主要介绍中国与东盟国家相关资源概况以及各港口城市合作利用的情况以供读者参考。

（一）印度尼西亚资源概况及其与中国的合作利用

印度尼西亚是世界上最大的群岛国家。它有 17 508 个岛屿，两个主要的群岛是努沙登加拉群岛和马鲁古群岛，它们附近大约有 60 个小岛屿群。海洋对印度尼西亚的重要性不言而喻，是印度尼西亚走向世界的通道。早在 7 世纪，依靠强大的海上力量，大国室利佛逝就与周边国家往来频繁。在中国的明朝年间，爪哇岛上的满者伯夷就与明朝政府保持着密切的商贸往来。印度尼西亚海洋运输业起步较早，但发展迅速。目前印度尼西亚有 140 多个港口，其中雅加达港、泗水港是印度尼西亚最主要的两个港口。印度尼西亚还计划在今后几年里发展 25 个国际港口，扩大港口吞吐量，使港口进一步现代化。随着"一带一路"倡议进入落实阶段，以"海洋强国"作为发展战略的印度尼西亚，正在迎来中国企业投资港口建设的热潮。目前印度尼西亚的"全球海洋支点"战略与中国的"21 世纪海上丝绸之路"战略相互对接，两国政府已经在基础设施建设等领域达成协议，中国将参与印度尼西亚港口等基础设施和互联互通建设，这也是双方港口城市加强港口设施建设难得的机遇。

印度尼西亚经济收入的很大一部分来自海洋产业。但印度尼西亚的海洋开发利用还不到 10%，与全球最大的群岛国家地位不相匹配。近年来，印度尼西亚积极支持海洋产业，据印度尼西亚海洋事务和渔业部的资料显示，印度尼西亚拥有每年 820 亿美元的渔业产值；开发海洋能源，广泛与美国、中国等大国展开合作；鼓励造船业的发展，加强海上航线与海峡的管理等。一方面，巩固了其在东盟中的领导地位。另一方面，与大国展开的务实合作有助于重塑印亚地区的海洋秩序。

此外，印度尼西亚的石油产量排名亚太地区第三，而天然气产量排名第二，仅次于中国。虽然印度尼西亚石油和天然气的产量可观，但是中国从新加坡和马来西亚进口的石油和天然气均超过印度尼西亚，可见，中国与印度尼西亚之间的石油、天然气贸易有相当大的发展潜力。石油和天然气是重要的能源，关系着各国经济及其社会的发展，中国亦然。在中国与东盟国家建立友好合作伙伴关系以来，能源行业是中国对印度尼西亚直接投资最主要的方面。中国石油、中国石化、中海油三大中国油企都在印度尼西亚拥有油气资源投资。中国从印度尼西亚进口的石油和天然气主要由马六甲海峡经南海运送至中国东南沿海地区，途径印度尼西亚的主要输出港有杜迈、勿拉湾、丹戎不碌等。可见港口在中国与印度尼西亚的石油与天然气的贸易中是不可缺失的存在，因此港口基础设施的完善对石油、天然气贸易的便利化至关重要。

（二）马来西亚资源概况及其与中国的合作利用

马来西亚是一个海洋国家，地处亚洲大陆和东南亚群岛的衔接部分，东临中国南海，西濒马六甲海峡，分为东西两部分，全境分别是位于马来半岛南部的半岛马来西亚或西马来西亚（简称“西马”）和位于加里曼丹岛北部包含砂拉越和沙巴在内的东马来西亚（简称“东马”），两地间距最长 1 500 千米，最短 750 千米。海洋不仅成为马来西亚国土安全的天然屏障，也是马来西亚对外联系的通道和蕴藏巨大资源的宝库。丰富的自然资源为马来西亚港口城市的发展奠定了坚实的基础，马来西亚橡胶、棕油和胡椒的产量和出口量都居世界前列，它还是产锡大国，其他矿产包括铁、金、钨、煤、铝土、锰等。

作为海洋国家，马来西亚港口业的快速发展为马来西亚的经济增长做出了很大贡献。槟城港位于槟榔屿东北砂咀上，居马六甲海峡北口，扼槟榔屿海峡西岸，港口水深可泊巨轮；巴生港位于马来半岛西部沿海、滨巴生河口，原为马来西亚最大港口，腹地广阔，是全国木材、棕油和橡胶的主要出口港；帕西古当马来西亚新建商港位于马来西亚西部马来半岛东南端，西距新山市 10 海里，是该市的海上门户。马来西亚的港口业能在全球国际航运市场持续低迷的时候保持良好的发展势头，其众多港口的区位优势、较低的营运成本、政府部门的政策扶持、大量国际资本流入是重要的原因。

我国与马来西亚港口城市的合作由来已久。随着“一带一路”倡议的推进，中马双方港口合作发展迎来了历史性机遇：中马关系正处于历史最好时期，两国全面战略伙伴关系保持了良好发展势头；两国经贸发展为港口合作提供了坚实基础，中国继续保持马方第一大贸易伙伴国、第一大进口来源国和第二大出口目的国地位；习近平总书记提出的“一带一路”倡议得到马方领导人的积极响应，按照“共商、共建、共享”的原则，双方正在落实两国领导人已达成的重要共识，在基础设施建设、产业园区建设等领域务实合作、共同发展，为港口发展提供了更为广阔的合作空间——广西北部湾港与马来西亚港口的合作健康、稳步、持续地推进；广州港口管理局希望充分发挥"中马港口联盟"这个平台的作用，在人才培训、港口管理、港口物流、航线开辟等领域与马来西亚港口开展务实合作。

（三）新加坡资源概况及其与中国的合作利用

新加坡位于马来半岛最南端，北面与马来半岛隔着宽仅 1.2 千米的柔佛海峡，南面隔新加坡海峡与印度尼西亚相望。全国由新加坡岛、裕廊岛、乌敏岛、德光岛、圣约翰岛和龟屿等 60 多个岛屿组成，海岸线全长 193 千米，是世界著名港口航运中心、世界三大炼油中心之一、国际贸易中心和区域旅游中心。但与其他资源丰富的东盟国家相比，新加坡可以说是典型的地少人多、寸土寸金的城市国家。新加坡国土面积十分狭小，只有 724.4 平方千米，人口总数却有近 600 多万人，土地资源十分稀缺。

作为一个国土面积较小、自然资源奇缺、发展历史不长的国家，新加坡在短期内异军突起步入发达国家行列必然是有其原因。一方面，新加坡在其人力资源的开发利用与管理上独出心裁，各项政策导向正确、相互配套、执行有力，有效地开发了国内人才资源，并在引进开发国外人才资源上也走在世界前列。人才资源的充分开发，有力地保障了新加坡在短短的几十年里迅速实现工业化目标，跃居"亚洲四小龙"榜首。另一方面，新加坡港借助其地理位置趋向国际性的优势，经济价值和战略价值都非常突出。新加坡港位于新加坡岛南部沿海，是亚太地区最大的转口港。此外，该港以高科技产业为支柱产业，如电子业、炼油业等都处于世界顶尖水平。新加坡在"21 世纪海上丝绸之路"沿线国家中担任重要的角色，并且与中国在"一带一路"合作对接上有起点高、内容实、进展快、创新多的特点。随着"一带一路"建设的推进，中国沿线城市与新加坡的经济联系强度不断加强，沿海发达地区与新加坡的经济联系强度更紧密，空间互动潜力更大。其中，以广州为代表的沿海发达地区与新加坡经济联系紧密，给予中新两国的深入合作带来新契机。泉州、福州、广州、海口和北海五个城市作为"一带一路"的南线城市，凭借其优越的地理位置和领先全国的经济发展水平，在构建与新加坡的城市引力模型中表现出了优异的空间互动潜力。

（四）越南资源概况及其与中国的合作利用

越南位于中南半岛东部，北与中国接壤，西与老挝、柬埔寨交界，东面和南面临南海，处于东盟成员国核心部位，越南拥有 3 260 多千米海岸线，岛屿众多，海域面积宽广。越南拥有较长的海岸线和很多大小不同的岛屿，众多美丽的海滩及沿海岛屿如芽庄、岘港、下龙湾、国富岛等。8 个世界文化遗产如会安古城、美山圣地、顺华皇城、龙皇城、丰芽格邦国家公园、下龙湾等为越南的旅游业发展奠定了基础。（阮氏荣，毛金凤，2018）越南还有较多的江河，主要有红河、湄公河、太平河、同奈河，空气湿润，雨量充沛。复杂的气候给予了越南极具多样性的森林，不仅有常绿林、落叶和半落叶林、半常绿林、针叶林、针阔混交林、各种山地灌木，还有红树林。而独特的地形则给予了越南优越的成矿条件，据统计，越南现已发现的矿种超过 120 种，主要的矿产资源有煤炭、石油、天然气、铝土矿、铁矿、铜矿、镍矿、稀土、钛、锰、铬、磷、铅、锌、宝石等。其中有些矿产很有开发潜力，如油气资源、铝土矿。海洋在越南的政治、经济、军事等层面具有重要的战略意义。有超过 4 600 万的越南人口居住在沿海及岛屿之上，占越南总人口的 1/2 以上。近十多年来，越南对海洋的重视程度逐步提高，并通过越共十届四中全会出台的《至 2020 年越南海洋战略》和《越南海洋法》形成了其"海洋战略"。

地理上看，越南是东南亚各国唯一与中国海陆同时接壤的国家。中国与越南同属东南亚发展中国家，中越海洋领域的合作将推进中国和东盟海洋合作的进程。除了在中国—东盟框架下签署的《南海各方行为宣言》外，中越在海洋合作上提出了一系列双边性质的政治纲领和指导意见，并建立了相应的合作机制，如 2000 年 12 月 25 日签署的《中华人民共和国和越南社会主义共和国关于两国在北部湾领海、专属经济区和大陆架的划界协定》（以下简称《北部湾划界协定》）和《中华人民共和国政府和越南社会主义共和国政府北部湾渔业合作协定》（以下简称《北部湾渔业合作协定》），以及 2011 年 10 月 11 日签署的《关于指导解决中华人民共和国和越南社会主义共和国海上问题基本原则协议》。《北部湾划界协定》和《北部湾渔业合作协定》的签订彻底解决了两国在北部湾的海上划界和渔业合作问题。《北部湾渔业合作协定》规定，双方应就北部湾的渔业资源的养护、管理和利用等事宜进行合作，并明确了跨界共同渔区和跨界过渡性安排水域。在油气问题上，双方在尊重划归对方的领海、专属经济区和大陆架有关权利的基础上，一致认可双方均有权在各自的大陆架上自行勘探开采油气、矿产资源；对于尚未探明的跨界油气和矿产资源，双方应友好协商、合作开采。除此之外，中国与越南开展"一带一路"与"两廊一圈"共同建设，提出中越两国合作建设"昆明—老街—河内—海防"和"南宁—谅山—河内—海防"两个经济走廊和"环北部湾经济圈"对接，这将有助于扩大两国及与其他国家之间的贸易，不断开拓市场，吸引更多基础设施建设投资。

（五）泰国资源概况及其与中国的合作利用

泰国位于北中南半岛中南部，属于热带季风气候。北部森林覆盖的山区，农事活动以刀耕火种为主；以高原组成的东北地区，大部分林区已被农业生产所取代，东部沿海是以旱作为主要农业活动的梯田；南部的泰国半岛，则以橡胶园和各种矿产资源的开发而著称。泰国还有大量的油气资源，自 20 世纪 80 年代以来，泰国湾和内陆先后发现了 15 个油气田。锡矿是泰国最重要的矿产，总储量达到 150 万吨，占世界总储量的 12%，居世界首位。非金属矿产方面，钾盐储量约为 4 367 万吨，也居世界首位；岩盐储量 29 亿吨；碳酸钾储量有 2.4 亿吨；萤石储量约 1 150 万吨，其他矿产还有重晶石、红宝石、蓝宝石、石膏等。

泰国的旅游业非常发达，大量没有被破坏的热带林木、花卉、沙滩都能够使游客获得在其他国家和地区不能获得的旅游体验。相对于新加坡等国家需要营造大量的基础设施才能够开发旅游业，泰国本身只需要维护好大量的自然景观即能够吸引大量的游客。

泰国还具有非常重要的地缘战略地位。"海陆兼备""坐拥两洋"是泰国最重要的地缘特征。同时，泰国是东南亚的物流中心和贸易中心，其发达的水运系统是支撑对外交流的基础保障。泰国水运系统主要包括海运和河运，其中，海运是泰国对外贸易最主要的运输方式。正因为如此，泰国港口在经济发展中发挥越来越重要的作用，成为泰国经济转型的主要推动力并影响泰国与世界各国之间的经济联系与贸易往来，因而港口逐渐成为泰国经济不可或缺的一环。目前，泰国全国范围内主要的港口有 47 个，在这些港口中国际港口为 21 个，主要衔接对外贸易，其余 26 个为海湾港口，主要负责国内运输。

泰国发达的水运系统，是"澜沧江—湄公河"合作能顺利进展的原因之一。澜沧江—湄公河流域是亚洲最重要的水系之一。澜沧河和湄公河是同一条河流在不同国家和地区的称呼，是亚洲一条重要的跨国河流。该河发源于中国青藏高原，源头在青海玉树境内，在中国被称为澜沧江，经云南出境后被下游国家称为湄公河，依次流经缅甸、老挝、泰国、柬埔寨、越南，全长 4 880 千米，流域面积 79.5 万平方千米，流域内生活有 3.26 亿民众。其位于东亚、东南亚和南亚的交汇处，所处的地理位置对亚洲来讲有着重要的战略意义。

此外，泰国作为"一带一路"建设的重要国家和它地处中南半岛中心是分不开的。再加上泰国国内的"东部经济走廊"和中国的"一带一路"倡议内外结合实现发展战略的完美对接。泰国国内的"东部经济走廊"项目是实现"泰国 4.0"战略的一大载体，并且泰国的 4.0 战略和中国的"一带一路"不谋而合。中泰两国必将携手在基础设施、产业集群、电子信息通信技术、数字经济、科技和能源等重点领域将两国双边经济合作作为中心在发展战略上实现全方位的对接。

二、产业资源基础

国内外经济发展水平较高的港口，不但具有良好的区位优势和交通条件，并各自有扎实的工业基础和较完善的产业集群，不但增强了地区经济实力，同时其发达的工业促进了第三产业的发展。因此发达地区的港口在航运、交通、金融等方面服务水平较高，成为国际贸易中货物运输的首选，并吸引国内外资本进行产业投资，从而形成了区域经济的良性循环发展。

（一）中国港口产业资源

经过近 20 年的发展，我国港口经历了由小变大、由能力不足到能力适度超前的跨越性转变。从港口基础设施来看，港口基础设施主要包括港口航道、码头、泊位、港口交通和配套设施等，相关基础设施的建设和完善能极大提高港口物流的效率和效益。根据交通运输部的数据，到 2018 年末，中国通航的航道总里程是 12.7 万千米，是 1949 年的 1.7 倍，其中，等级以上的航道有 6.6 万千米；全国港口拥有生产用码头泊位 23 919 个，是 1949 年的 148.6 倍，年均增长 7.5%。其中，万吨级及以上泊位从 1957 年的 38 个增至 2 444 个，年均增长 7.1%。2018 年我国港口货物吞吐量达到 143.5 亿吨、集装箱吞吐量 2.5 亿标准箱，吞吐量规模遥居世界首位，其中 7 个港口的货物吞吐量达到 5 亿吨以上，8 个港口的集装箱吞吐量达到 1000 万标准箱以上，全球港口货物吞吐量和集装箱排名中，我国各有 7 个港口排名前十位。

从临港产业结构来看，我国环渤海港口群以天津港为代表，形成了电子信息产业群、化工产业群、冶金工业群、汽车及机械制造业产业群以及光机电一体化产业群和新能源产业群等；长三角港口群以上海港为代表，已形成包括微电子产业、汽车产业、精品钢材产业、石油化工产业以及船舶工业在内的大型产业基地；东南沿海港口群形成了机械、电子、化工三大支柱所支撑的临港产业群；西南沿海港口群成长为中国西部重要的产业基地，逐步形成以石化、电子信息、冶金新材料、粮油食品、造纸、海洋等为主导的特色现代产业体系。

从港口相关服务业来看，金融服务对中国港口产业建设提供的市场筹措数额占港口建设投资总额的 90%以上，港口建设资金主要来源于国家下拨资金、交通部专项资金、银行贷款、地方自筹、企事业单位自筹、外资引进、利用合资等，国家投资和交通部专项资金合计仅占总投资的 8%，其余通过市场筹措的数额占了大于 90%的比重。其中，银行贷款、地方自筹及企事业单位自筹是最主要的三种融资方式，所占比例达 80%。港航基础服务业和高端服务业均呈现快速发展趋势，全国已取得资格证的船代企业达 2 000 多家，全国的货代企业除了经过国家商务部审批或者备案的 1 万家大规模企业外，业内人士预估还有 4～5 万家规模较小或挂靠在其他企业的货代企业。同时，随着上海国际航运中心、大连东北亚国际航运中、天津北方国际航运中心的建设，国际大型公司和总部的进驻，以及一些信息平台和管理系统的建立，金融、保险、咨询、法律等高端航运服务业也在迅速崛起。

（二）越南港口产业资源

越南海岸线长达 3 260 千米，沿海现有港口 44 个、码头 254 个、泊位 402 个，总体呈现"多、散、小"的布局特征，几乎沿海的每个省都布置了港口。其中广宁省、海防省、巴地头顿省、河内市、胡志明市等地吸引外商投资较多，区域经济发展较好，带动形成了广宁港、海防港、义安港、岘港港、归仁港、芽庄港、胡志明港、头顿港、芹苴港等规模较大的港口。越南港口公共码头吞吐量最大的港口是海防港，2015 年达到 3 494.2 万吨；其次是胡志明港，两港吞吐量接近越南公共码头吞吐量总和的 70%。在其余港口中，岘港港吞吐量增速最快，发展潜力较大。越南经济在 1986 年开始"革新开放"后出现了快速的发展，随着越南经济的发展，极大地刺激了港口基础设施的建设。越南港口建设依托外资有了较大改善。

虽然越南港口数量众多，但主要港口不超过 17 个，其中核心港口位于南北两侧，中部海岸线的港口整体规模较小。如果把越南的港口分为北部、中部和南部三个港口群，那么根据当地的经济发展水平、产业分布和贸易量，集装箱吞吐量分配比重大致为 30：5：65。从北到南具体来看，北方港口群集装箱吞吐量占 30%，以全国第二大港口海防港为主，周边包含河内、雷东、广宁、锦普、广义等其他小港，北方港口传统上以散杂货为主，由于自然条件的限制，进出海防港的船舶普遍较小，但近年来越南政府加大了对海防的投入，未来也将建造类似南方头顿港、盖梅港规模的现代集装箱深水港，以容纳超大型集装箱船舶的挂靠。中部港口群集装箱吞吐量占比最小，仅占 5%，包含荣市、边水、顺化、岘港、归仁、芽庄，虽然该港口群涵盖了越南主要海岸线，但由于芽庄、岘港是越南以旅游业为主的港口城市，从定位及货量上来看，占比相对较低。而南部港口群是越南集装箱吞吐量最大的港口群，全国最大港口胡志明港、越南经济活动中心头顿港和盖梅港，占据全国集装箱吞吐量约 65% 的份额。如同上海之于中国，胡志明港未来将承担更多的现代商业活动，越南政府加大对胡志明港的房地产开发，因此预计未来胡志明港的整体吞吐量增速将相对平缓；而南部的盖梅港凭借优良的区位条件，已吸引大量国际码头运营商的介入，未来将承担主要干线船舶（10 万吨级）的装卸作业，在越南乃至亚洲港口中扮演越来越重要的角色。

但整体来看，越南港口设施仍然比较落后，海口河道淤塞，并且部分港口曾经被联合国定为"最差"级别，有些港口根本达不到集装箱船舶装卸标准，只能充当"支线港"或"喂给港"的角色。但是越南港口建设对国外资本开放力度加大之后，一部分基础条件较好的港口获得了大量的外资投入到港口建设中。航运巨头马士基旗下的码头公司与越南西贡港公司合作开发了盖梅河上游的集装箱码头；迪拜港口集团与越南当地公司共同投资了 2.5 亿美元组建西贡最佳集装箱码头公司。我国企业也投资了越南巴地头顿省的新建码头，更加有利于我国西南港口与越南港口形成跨越国界的港口群。

（三）泰国港口产业资源

泰国作为一个新兴工业化国家，其经济主要依赖出口，其中出口占国内生产总值的比例超过 2/3。泰国是东盟的创始成员之一，也是东南亚第二大经济体。泰国国内港口数量众多，共有 47 个港口，其中国际港口 21 个。曼谷港是泰国重要的港口之一，由泰国港务局负责管理和运营，海运航线可达中、日、美、欧和新加坡等地区和国家。港区主要由东、西两个码头组成，西区主要停靠普通船舶，有 10 个泊位，用于装卸普通货物，提供国内和国际停泊服务。东区装卸集装箱货物，有 8 个泊位，配有机械装运设备，其中可移式吊最大起重能力达 50 吨。港区码头泊位岸线长 19 千米，最大水深为 8.2 米。货棚面积有 13 万平方米，露天堆场面积达 31 万平方米，集装箱货运站有 4 个，面积为 2.9 万平方米。东、西港区共包括 3 个码头，分别是曼谷 BMT 港（BANGKOK BMT）、曼谷 PAT 港（BANGKOK PAT）和曼谷 SCT 港（BANKKOK SCT）。由于码头水浅，只能停靠约 1 万载重吨的船舶及 500 标准箱的集装箱船，因此，只有开往日本、新加坡及中国香港等地的集装箱支线船能靠码头，而开往欧洲的大型集装箱船要在港外的锚地靠泊。由于大量外贸货物通过曼谷港进出口，老挝和柬埔寨部分进出口货物也经此转口，所以该港启用了曼谷湾东南岸的梭桃邑港，以缓解曼谷港的拥挤状况。

作为目前世界上新兴工业国家和新兴市场经济体之一，泰国经济在制造业、农业以及旅游业表现良好，是亚洲唯一的粮食净出口国，也是世界五大农产品出口国之一。泰国是东南亚汽车制造中心以及东盟最大的汽车市场。目前中国是泰国第一大出口市场以及第一大进口来源地，是泰国的第二大贸易伙伴。泰国周边国家近年来经济增长稳健，在相对良好的经济大环境下，泰国进一步抓住"一带一路"发展机遇，充分发挥区位优势，将泰国打造成国际重要交通和物流枢纽。泰国提出的构建以创新驱动为主线的经济发展战略同"一带一路"发展理念和目标高度契合，中泰双方一致同意在"一带一路"倡议和"泰国 4.0"战略基础上，将基础设施、产业集群、电子信息通信技术、数字经济、科技和能源列为未来五年双方经贸合作的五大重点领域，力求实现在发展战略和政策理念上的全面对接。

（四）马来西亚港口产业资源

马来西亚国土面积 33 万平方千米，位于东南亚，地处太平洋和印度洋之间。马来西亚海岸线长 4192 千米，港口基础设施质量得分为 5.4，高于世界平均水平。马来西亚的主要港口包括了巴生港和丹戎帕拉帕斯港，其他较次要的港口有基度龙角、亚庇、古晋、巴西古当、关丹、槟城、美里、山打根、斗湖等。根据马来西亚交通部统计显示，马来西亚港口 2016 年一季度货柜处理量达 6 129 521 个标准货柜。巴生港作为马来西亚第一大港，已完成一期开发，未来该码头将采用全面自动化和广泛的绿色港口特色，包括集装箱、散装和散货设施，占地 120 平方千米，将在 30 年内开发。

马来西亚柔佛州丹绒柏勒巴斯港为马来西亚最繁忙港口之一，主要以转口货柜处理为主。同时，该港口规划的自由贸易区总面积为约 6.1 平方千米，已有约 2.4 平方千米被开发，迄今共吸引 40 家制造业及物流业进驻，包括全球前五大排名船务公司，包括丹麦快桅公司（Maersk）、瑞士地中海航运公司（Mediterranean Shipping，MSC）、法国 CMA-CGM 及中国台湾长荣海运（Evergreen）等进驻。近年来丹绒柏勒巴斯港通过积极进行疏通海床，将河道拓宽，以期让大货柜船能驶抵该港口，促使其货柜处理能力于未来 3 年内，提升至 1 500 万个集装箱。

（五）新加坡港口产业资源

新加坡是东南亚最大的海港，海岸线长 193 千米，以新加坡港为中心有 100 多条航线通往世界各国主要港口，同时有 20 多条国际航空线联系世界各地，是重要的国际航运中心、航空中心和货物集散中心，转口贸易非常发达。港口城市基础设施质量较东盟其他国家也是相对发达，处在 6 至 7 之间。新加坡 PSA 运营商的集装箱设施共有 52 个集装箱泊位，码头长度 15.5 千米，面积为 6 平方千米，最大吃水 16 米，码头起重机 190 t，设计容量 35，00 万 TEU（Twentyfoot Equivalent Unit）。当前新加坡基础设施建设进入快速发展阶段，逐步推出多个大型基建项目，带动相关行业发展。

新加坡的产业结构中服务业独占鳌头，可以说服务业的发展起到绝对的经济主导作用，服务业内部信息通信、住宿餐饮以及娱乐部门发展迅猛，而运输和仓储业发展动能不足。近年来，新加坡服务业发展水平进一步提高，对国民经济保持最大贡献，同时三大产业间比例不断优化。从新加坡三大产业增加值占 GDP 的比重来看，新加坡服务业增加值基本是 GDP 的 200 倍以上，远远超出其他一些高收入国家。工业增加值的占比稳定在 30%左右，其中制造业增加值保持平稳较快增长，产业结构逐步向合理化迈进。但也存在内部发展不协调的问题：制造业内部计算机、电子、化学产品以及制药部门发展速度较快，其他行业则发展相对缓慢。农业增加值占 GDP 的比重近年来保持在 0.04%的水平。新加坡三大产业结构的发展基本成熟，服务业在整个国民经济中的地位举足轻重，掌握着国民经济的命脉。

新加坡先进的基础设施和发达的为外国资本投资服务的银行金融机构和其他贸易机构，及对外国资本具有吸引力的外资政策，为外国资本创造了优越的投资环境，吸引了大量跨国公司的入驻。新加坡除了为国际市场上的研制需要提供服务外，也非常重视对科研成果的鉴定与保护，并协助开发者或机构为科研成果获得专利权。其对知识产权的有效保护，促进跨国企业及科研机构在新加坡建立研发中心。同时，新加坡已建立配合不同产业发展的聚集区与工业园，主要包括新加坡科学园、农业生物园、大士村制药区及裕廊岛等，其中大士村制药区是制药、保健产品、生物科技等产业的聚集区，裕廊岛为包括冶金、造船、化学、炼油、电子和一些轻工业在内的综合工业区。

当前，新加坡的产业政策着力点在于努力发展"出口导向型"经济，同时大力支持主导产业的发展，培养经济增长新引擎。同时注重产业间的相互作用，把提高国家自主创新能力摆在重要的战略位置，大力发展高新技术产业，提高产品质量，增强综合竞争力。

（六）印度尼西亚港口产业资源

印度尼西亚拥有 85 个国际港口，海岸线长 54 716 千米，港口基础设施的质量得分仅为 4。丹戎不碌港有 20 个码头和 3 个集装箱码头，76 个泊位，码头长度为 16 853 米，总存储面积 661 882 平方米，存储容量 401 468 吨。丹戎佩拉港口拥有 6 个主码头、常规货物装卸多用途码头、客运码头、滚装船码头和国际集装箱码头。

印度尼西亚轻工业较发达，大部分民生用品均为印度尼西亚本地生产，食品、家用品、纺织成衣等产业均具备外销能力。但因国内需求过于庞大，供给尚无法完全满足市场需求，外销量仍低于进口。印度尼西亚基础工业薄弱，模具、电机、电子、金属与塑料加工产业较为落后，生产设备老旧，许多原料、零组件及模具均依赖进口。财经新闻网站 Economy Watch 的数据显示，印度尼西亚第一大进口品项即为机械设备，其次依序为化学品、燃料以及食品产业，机械设备进口主要来源为日本、韩国与中国，亦有少部分来自欧洲。目前，印度尼西亚积极加快基建助推与中国双边贸易发展，中国企业在印度尼西亚已建立聚龙、青山、中印尼经贸合作区 3 个国家级境外经贸合作区，以及 10 余个已经完成或在建的合作园区；此外，爪哇 7 号燃煤电站、泗水—马都拉大桥、青山园区、佳蒂格德大坝下闸蓄水、钢拱桥—塔园桥也是双边合作的标志性项目。伴随雅万高铁等一系列重要合作项目稳步推进，印度尼西亚基础设施建设步伐不断加快，将为中国与印度尼西亚双边贸易创造更大的发展空间。

第四节　中国—东盟港口城市合作的运作机制

为促进中国与东盟经贸往来，自 2019 年 8 月 20 日起《中华人民共和国与东南亚国家联盟关于修订〈中国—东盟全面经济合作框架协议〉及项下部分协议的议定书》（以下简称《升级议定书》）全面生效，同时《中华人民共和国海关〈中华人民共和国与东南亚国家联盟全面经济合作框架协议〉项下经修订的进出口货物原产地管理办法》开始正式执行，标志着"中国—东盟自贸区升级版"隆重推出。为充分发挥这一"富矿效应"，即进一步提高本地区贸易投资自由化和便利化水平，中方倡议双方启动自贸区升级谈判并正式签署了《升级议定书》，涵盖货物贸易、服务贸易、投资、经济技术合作等领域，这是对原协定的丰富、完善、补充和提升。在货物贸易领域，双方优化了原产地规则和贸易便利化措施，将使域内企业更大程度享受自贸区优惠政策，降低贸易成本；在服务贸易和投资领域，中国在集中工程、建筑工程、证券、旅行社和旅游经营者等方面做出改进承诺，东盟各国在商业、通讯、建筑、教育、环境、金融、旅游、运输等 8 个方面约 70 个分部门向中国做出了更高水平的开放承诺；在经济技术合作领域，双方同意在农业、渔业、林业、信息技术产业、旅游、交通、知识产权、人力资源开发、中小企业和环境等 10 多个领域开展合作，并为有关经济技术合作项目提供资金支持。此外，双方还纳入了跨境电子商务合作等具有前瞻意义的议题。

（一）对接"一带一路"与互联互通战略是港口城市合作的时代机遇

中国和东盟国家致力于实现21世纪海上丝绸之路与互联互通战略对接，为双方开展友好港口建设提供时代机遇。第一，中国推进海上丝绸之路建设要求以重要港口为节点，建设通畅、安全、高效的运输通道，推动口岸基础设施建设，加强海上物流信息合作。在此背景下，中国更加重视中国港口与东南亚国家港口的国际合作以及港口城市间的合作，加快促进产业对接与人文交流，期冀实现中国与东盟国家基础设施互联互通、港口城市的互联互通，消除沿线国家和地区经济一体化的体制机制障碍，从而促进地区、国家间协调发展和共同繁荣。对于东盟国家而言，与我国加强港口城市各领域的合作，既能保证双方在基础设施方面优势互补、互利共赢，也能增加双方的港口物流需求，促进港口及相关产业的发展。

（二）构建中国—东盟命运共同体是港口城市合作的现实动力

构建中国—东盟命运共同体是中国与东盟国家实现多元共生、包容共进的必由之路，也是中国—东盟港口城市合作的必然成果。以构建命运共同体为现实动力，中国与东盟港口城市合作，不断为打造国际陆海贸易新通道、提升贸易便利化水平提供关键支撑。2018 年 5 月，第十届泛北部湾经济合作论坛暨第二届中国—中南半岛经济走廊发展论坛召开，论坛以"打造国际陆海贸易新通道，共建中国—东盟命运共同体"为主题，达成共识：中国—东盟港口城市未来将在多式联运、跨界协同、信息互联互通、机制建设与联动等领域加强合作；加强走廊沿线基础设施建设，促进物流跨区域协同发展；加强通关合作，提高通关便利化水平。在此框架之下，双方港口具有广泛的合作空间，友好港口城市合作也成为重要的路径选择。

（三）拓宽中国与东盟公共外交渠道是港口城市合作的重要任务

港口作为推动区域经济发展的重要引擎，港口城市作为港口发展的支撑和动力源泉，在中国与东盟的公共外交事业中占据重要位置。注重发展公共外交是中国与东盟构建命运共同体的重要举措，有利于塑造主体间良好的文化观念和政治形象，从而增进国家间互信。在中国与东盟公共外交实践过程中，港口外交不仅成为加强双方交往，促进合作性公共外交发展的重要动力，也是增强双方竞争性公共外交优势的砝码。港口城市合作作为港口外交的重要部分，为拓展中国与东盟公共外交空间、构建多层次宽领域合作机制注入新的动能。

第五章　中国—东盟港口城市合作现状

第一节　中国—马来西亚港口城市合作现状

一、中马港口联盟

（一）合作进程

2015 年 11 月，中国、马来西亚两国交通部长在两国总理见证下签署《建立港口联盟关系的谅解备忘录》，成立了中马港口联盟。2016 年 7 月 13 日，我国交通运输部、马来西亚交通部和全体港口联盟单位在宁波举行了以"携手共创中马港口合作新局面"为主题的中马港口联盟首次会谈。会议上双方确定了联盟成员单位，其中中方港口联盟由大连、太仓、福州、厦门、广州、深圳、海口、北部湾港口行政管理部门和上海、宁波舟山港集团等 10 家单位组成，马方港口联盟由巴生、马六甲、槟城、关丹、柔佛、民都鲁等 6 个港务局组成，明确了双方的合作方向。2017 年 9 月 4 日，中马港口联盟第二次会议在马来西亚吉隆坡召开，会议中马来西亚方表示马来西亚将全力支持中国的"一带一路"倡议，作为 21 世纪海上丝绸之路的海运国和合作伙伴，相信两国将通过中马港口联盟合作达成共赢。2018 年 11 月 20 日，中马港口联盟第三次会议在天津成功举行，中马两国港口不断深化合作，已成为两国交往的重要载体，两国港口合作发展已成为普遍共识，港口间运输增长迅速，建设项目顺利推进。2019 年 8 月 19 日，中马港口联盟第四次会议在马来西亚吉隆坡成功举行。会议围绕"凝聚共识携手开创中马港口新未来"的主题，中方与马来西亚方分别就深化双方合作方面提出建议，会议还决定中马港口联盟第五次会议将于 2020 年在中国福建省厦门市举行。

（二）合作成果

自中马港口联盟成立以来，短短五年，在双方的共同努力下，不断推进双方的合作与交流，最终使中马港口联盟成为了两国共建"一带一路"的先行和典范，取得了显著的成果。

一是两国港口航运合作成员不断扩大，2017 年 9 月，在第二届中马港口联盟会议中，同意接纳中国天津港集团有限公司、马来西亚甘马挽、沙巴和古晋三个港务局成为新的联盟成员，至此中马港口联盟成员单位由最初的 16 家拓展到 21 家，并且其中马方所有的港务局均已加入港口联盟。

二是两国间货运量增长迅速。自 2016 年 7 月双方正式确定港口联盟成员开始，随着双方港口合作的不断加深和项目的不断推进，仅一年多的时间中方港口货物吞吐量便从 2016 年的 368 515 万吨上升到了 2017 年的 500 320 万吨，累计增长了 35.77%。在一系列集装箱码头建设工程开展与实施后，中马港口联盟中方港口集装箱吞吐量也实现了较大增长，由 2016 年的 13 904 万 TEU 上升到 2017 年的 17 535 万 TEU，累计增长了 26.11%（详见表 5-1 和表 5-2）。

表 5-1　中马港口联盟中方港口 2016 年货物吞吐量

序号	港口	货物吞吐量（万 t）	外贸吞吐量（万 t）	集装箱吞吐量（万 TEU）	旅客吞吐量（万人次）
1	大连港	43 660	13 910	958	520
2	青岛港	51 463	34 301	1 805	18
3	上海港	70 177	38 012	3 713	344
4	宁波舟山港	92 291	43 148	2 157	300
5	福州港	14 516	5 883	27	16
6	厦门港	20 911	9 866	961	946

续表

序号	港口	货物吞吐量（万 t）	外贸吞吐量（万 t）	集装箱吞吐量（万 TEU）	旅客吞吐量（万人次）
7	广州港	54 356	12 638	1 885	87
8	深圳港	21 141	18 000	2 398	580
	总计	368 515	175 758	13 904	2 811

在 2017 年世界十大港口排名中，中国港口占据 6 位，其中为中马港口成员的有 5 位，分别为上海港、深圳港、广州港、青岛港和天津港。作为港口联盟的成员，五大港口不断落实《建立港口联盟关系的谅解备忘录》的精神和任务要求，为其他港口做好带头示范作用，共同致力于两国海上互联互通建设。2017 年，五大港口货物吞吐量分别累计为去年同期的 106.9%，112.7%，108.4%，101.5%，90.9%，集装箱吞吐量分别累计为去年同期的 108.3%，105.1%，108.1%，101.4%，103.7%。

表 5-2　中马港口联盟中方港口 2017 年货物吞吐量

序号	港口	货物吞吐量（万 t）		集装箱吞吐量（万 TEU）	
		自年初累计	累计为去年同期（%）	自年初累计	累计为去年同期（%）
1	大连港	45 517	104.3	971	101.3
2	天津港	50 056	90.9	1 507	103.7
3	青岛港	50 799	101.5	1 830	101.4
4	上海港	75 051	106.9	4 023	108.3
5	宁波舟山港	100 711	109.7	2 464	114.3
6	福州港	14 838	102.2	301	111.2
7	厦门港	21 116	101.0	1 038	108.1
8	深圳港	24 136	112.7	2 521	105.1
9	广州港	59 000	108.4	2 037	108.1
10	北部湾港	24 080	107.2	228	127.0

序号	港口	货物吞吐量（万 t）		集装箱吞吐量（万 TEU）	
		自年初累计	累计为去年同期（%）	自年初累计	累计为去年同期（%）
11	海口港	10 113	114.2	164	116.7
12	太仓港	24 903	107.3	451	110.5
	总计	500 320		17 535	

　　之后，中方港口呈现出了良好的发展势头，货物吞吐量与集装箱吞吐量均实现了不同程度的增长，2018 年期间中方港口货物吞吐量和集装箱吞吐量分别为 516 809 万吨和 18 513.7 万 TEU，相比于 2017 年分别增长了 3.30%和 5.58%（详见表 5-3）。值得注意的是，广西北部湾港 2017 年与 2018 年集装箱累计吞吐量分别为去年同期的 127.0%和 135.2%，在港口成员中均排名第一，这与广西北部湾区在积极参与马中关丹产业园、参股关丹港建设和运营开展港口物流合作上所做出的努力密不可分。随着中马港口联盟的不断发展，在今后几年港口成员的货物吞吐量仍具有不断增长的发展前景。

表 5-3　中马港口联盟中方港口 2018 年货物吞吐量

序号	港口	货物吞吐量（万 t）		集装箱吞吐量（万 TEU）	
		自年初累计	累计为去年同期（%）	自年初累计	累计为去年同期（%）
1	大连港	46 784	102.8	977	100.6
2	天津港	50 774	101.4	1 600	106.2
3	青岛港	54 000	106.3	1 931	105.5
4	上海港	73 048	97.3	4 201	104.4
5	宁波舟山港	108 439	107.7	2 635	106.9
6	福州港	17 876	120.4	334	111.0
7	厦门港	21 720	102.9	1 070	103.1
8	深圳港	25 127	104.1	2 574	102.1

序号	港口	货物吞吐量（万t）		集装箱吞吐量（万TEU）	
		自年初累计	累计为去年同期（%）	自年初累计	累计为去年同期（%）
9	广州港	61 313	103.9	2 192	107.6
10	北部湾港	24 080	110.2	308	135.2
11	海口港	10 764	106.4	184.6	112.8
12	太仓港	22 884	106.4	507.1	112.4
	总计	516 809		18 513.7	

三是两国港口合作项目不断推进，2019年4月25日，安通控股下的"海口—马来西亚民都鲁"直航航线首次启程，成为该公司开通的第一条直通马来西亚的海上国际航线。该航线的开通，使得经海口进出口的集装箱货物拥有了更为便捷、经济的海上通道，海南至东南亚集装箱航线布局进一步完善，经贸互联互通日渐便利。

四是两国港口交流合作领域不断拓展，中马双方联合举办了LNG船舶安全管理培训班，通过对学员的授课与培训，提高了港口国监督检查员LNG船舶专项检查能力，同时加强了中马两国的海事合作，进一步深化了中国与东盟的友好互信。

二、工业园区的发展

广西作为海上丝绸之路的战略支点，应充分发挥其优势开展与东盟国家的港口合作，并且积极打造以广西钦州为中心的中国—东盟港口合作网络。因此在双方的合作过程中，以北部湾为中心的港口群发挥着至关重要的作用。截至2018年底，广西与东盟7个国家47个港口建立了密切的运输往来，广西北部湾港已开通集装箱航线共42条，其中外贸直航17条，与世界近100个国家和地区的200多个港口开展了贸易运输合作，成为我国与东盟地区海上互联互通、开放合作的前沿。2019 年，在中马港口联盟第四次会议中，广西壮族自治区相关领导在演讲中指出，广西积极参与马中关丹产业园、参股关丹港建设和运营开展港口物流合作，并取得了良好效果。钦州在推动中国与马来西亚合作的进程中，取得的最典型的成就就是中马钦州产业园区和马中关丹产业园区的成立。

中马钦州产业园区是由广西北部湾港务集团和马来西亚长青集团、实达集团组建的联营公司合资运营的港口产业园区；是中国和马来西亚"两国两园"计划中的中国部分。产业园定位为先进制作基地、信息智慧走廊、文化生态新城和信息交流窗口。作为我国西南港口群的重要组成部分，以钦州港为主的北部湾港口群拥有巨大的港口运输优势。自中马钦州产业园成立之后，钦州港不断扩大优势，积极融入东盟港口网络，与多个国家、地区建立了贸易往来。截至 2018 年，钦州港开通了集装箱内外外贸线路 42 条，包括内贸航线 18 条和外贸航线 24 条，至东南亚国家、日韩主要港口以及中国香港、台湾地区等的外贸集装箱航线，单单 2018 年就增加了 6 条国际航线（钦州—海防、钦州—海防—香港、钦州—新加坡—林查班、钦州—南非等）。在港口蓬勃发展的进程中，钦州港已逐步蜕变为吞吐量过亿的南方大港，2018年，钦州港货物吞吐量首次突破 1 亿吨，累计完成货物吞吐量 1.02 亿吨，同比增长 21.7%，标志着钦州港进入了亿吨大港的行列。与此同时，钦州港港口陆路、航运等支撑性物流系统也在不断地完善，港口服务不断地升级更新。中马钦州园区也在不断地推进项目设施建设、完善城市功能、深化与国际间的合作，在园区开发建设上取得了积极的成效。

（一）开发范围迅速拓展

中马钦州产业园区规划总面积 55 平方千米，截至 2018 年，园区完成征地搬迁总面积达 22 平方千米，项目布局超过 15 平方千米。与此同时，园区已经完成金鼓江区域综合整治和中央商务区 15 平方千米基础设施项目招标工作，由中国交通建设集团有限公司以"投资人+EPC"的模式来实施"片区开发"，累计投资 137 亿元。自中马钦州产业园区成立以来,园区的总投资已超过 140 亿元,土地供地率从 2015 年初的不足 40% 提高到 70% 以上。

（二）产城项目加速入住

截至 2018 年,中马钦州产业园区的注册企业已经超过 320 家,引进了 139 个产城项目,总投资达到 1 164 亿元。其中有 42 个重点产业项目,项目总投资为 644.4 亿元,鑫德利光电（一期）、慧宝源医药、科艺新能源（一期）等 10 多个具有规模和发展前景的高技术项目相继实现投产。总投资 200 亿元的启世 12 英寸大硅片、总投资 15 亿元的安通控股多式联运综合物流项目基地、总投资 15.4 亿元的科艺新能源项目等一批战略性新兴产业项目相继落户并计划开工建设。同时,中马钦州产业园也不断深入发展自己的传统优势产业,其中港清油脂现已实现了正常生产,有 10 家燕窝加工企业完成了工程装修,还有 12 家燕窝加工企业等待入园,积极寻求与马来西亚的合作,与马来西亚企业发展部商定做出了共建清真产业园的项目规划。

（三）配套设施基本形成

近年来,随着中马钦州产业园区对基础设施和配套设施的投入力度不断加大,电子信息产业园、中马国际科技园、智慧物联产业园、燕窝加工贸易基地、国家级燕窝实验室等项目已先后投入使用,互联网创教空间、红树林安置小区、"四个一"城市综合体、青年公寓、中小学校等配套服务项目基本建成。

马中关丹产业园区是由广西北部湾港务集团与马来西亚 IJM 集团、森那美集团共同开发建设的马来西亚第一个国家级产业园区;是中国和马来西亚"两国两园"计划的马来西亚部分。产业园区定位于打造产业、生态、物流一体化的港城产业园区。在两国政府的大力推动下,马中关丹产业园建设取得了令人瞩目的成就。截至 2019 年 10 月,马中关丹产业园共有入园企业 9 家,协议投资额达到了 285 亿元。不断加快入园企业建设进展速度,其中联合钢铁项目已全线竣工投产,其他造纸项目、热电联产等项目也正陆续获批生产执照、优惠政策等。马来西亚国际贸易及工业部副部长王建民表示,马中关丹产业园将为马来西亚带来 180 亿林吉特的投资,其中,关丹产业园共有 12 项投资,部分已经开始运作,部分则在建设中或等待批准,而目前投资额已达 70 亿令吉,提供了 2 700 个就业机会。

马中关丹产业园区依托的马来西亚关丹港,是马来西亚东海岸最大城市彭亨州的首府,坐拥优越的陆路、航空优势。陆上有通往马来西亚全国的高速公路,机场航班直航东盟各大主要机场,从海路直航钦州港只需要 3 天,是马来西亚到中国南部深水港最近的港口。此外,关丹港还是马来西亚国内去往东北亚以及美国和美国西海岸最近的港口。自 2013 年马中关丹产业园区开园之后,马来西亚政府为了加快其东部沿海地区的发展,把关丹港列为国家重点建设港口之一,同时为了配合马中关丹产业园的建设,规划将关丹港打造成为马来西亚东海岸的区域性枢纽港。2013 年 10 月,北港集团签署了关丹港 40% 股权的收购协议,2015 年完成收购工作后,关丹港成为北港集团在海外入股的第一个港口。北港集团入股后,关丹港与中国的合作交流及业务往来日益密切,北湾集团还开通了北部湾港至关丹港的直航航线,为马中关丹产业园入园项目提供了强大的物流运输保障。关丹港老港区设有 22 个泊位,可为 5 万吨级船舶提供靠泊服务,马来西亚政府在对旧港区进行升级改造的同时,还不断拓建新深水港区,建设新一代的港口码头基础设备设施,建造新码头和泊位。

除了与马来西亚开展"两国两园"的港城一体化的港口合作之外。中国还与马来西亚合作建设位于马六甲的一个全新的港口项目——马六甲皇京港项目。这一项目由中国电力建设集团承包建设一个立足于马六甲岛,通过人工建岛技术在马六甲西南海岸建造出一个集生态旅游、自由贸易免税区、商业地产开发、深水码头及产业园区等功能为一体的综合性港口开发项目。该项目于 2016 年奠基,总投资 800 亿林吉特,预计 2025 年完成,由马来西亚公司凯杰发展投资开发,中国电力建设集团负责三个人工岛的工程建设。2017 年,中国电力建设公司获得了 3.5 亿美元的填海造地合同,负责皇京港项目三个人工岛的吹填、护岸、防波堤工程的设计、采购及施工。建立该港的主要目的在于挑战新加坡港在马六甲区域的统治地位。据业内统计显示，每周中国上海港去新加坡港有 28 个船公司，多达 35 组服务，中国与马来西亚合建马六甲新港，将会造成货物分流引发经济冲击，最终影响到新加坡中转港地位。

第二节　中国—印度尼西亚港口城市合作现状

一、海洋经济合作

2013 年 10 月习近平主席访问东盟时提出"21 世纪海上丝绸之路"战略构想，这与佐科政府制定的"全球海洋支点"的发展规划高度契合，海洋作为"蓝色纽带"势必会加强两国在海洋经济上的紧密合作。作为建设"21 世纪海上丝绸之路"的重要成员，印度尼西亚在 2018 年与中国签署了推进"一带一路"和"全球海洋支点"建设的谅解备忘录，正式加入"一带一路"的朋友圈。现如今共建"21 世纪海上丝绸之路"是中国与印度尼西亚进行合作的重要落脚点，在国家发展改革委和国家海洋局联合发布的《"一带一路"建设海上合作设想》中写道，要推进"东亚海洋合作平台"和"中国—东盟海洋合作中心"建设，共同推进海洋经济发展示范区建设，携手打造蓝色经济增长点，为"一带一路"对接印度尼西亚等相关重点国家发展战略，促进海洋经济和人文交流指明了新方向、提供了新思路。

针对印度尼西亚丰富的海洋油气资源，双方正在积极尝试以中国先进的油气勘探和开发技术加强深海开发合作。在海洋渔业合作中，印度尼西亚是中国非常重要的远洋渔业发展基地和水产品贸易伙伴，两国在水产品的捕捞和养殖、加工和贸易、近滩和滩涂的养殖技术以及海洋生物资源的开发等方面合作不断升级。在滨海旅游业的合作中，印度尼西亚旅游和创意经济部与中国国家旅游局已于 2013 年签署了旅游合作谅解备忘录，中国现已成为印度尼西亚最大的旅游客源国。印度尼西亚的"诗之岛"巴厘岛是中国游客到印度尼西亚旅游的首选之地，另外，印度尼西亚政府于 2015 年宣布对包括中国在内 30 个国家的游客实施免签证的政策，这将极大促进印度尼西亚对中国游客的吸引，刺激两国滨海旅游业的发展。印度尼西亚连城航空公司自 2012 年成立以来，在中国开展多年包机服务，并于 2018 年 10 月正式开通印度尼西亚至昆明、厦门和南昌三个城市的定期直飞航线，以吸引更多的中国游客前往印度尼西亚旅游。

在海洋科技合作方面，两国已顺利举行了十次中国与印度尼西亚海上技术合作委员会会议，在海洋科研以及海上安全领域合作不断加强。两国还共同成立了中国—印度尼西亚海洋与气候联合研究中心作为常设交流合作平台。另外，中国国家海洋局与印度尼西亚海事渔业部合作共同实施了"南海—印度尼西亚海水交换及对鱼类季节性洄游的影响（SITE）""爪哇上升流变异及对鱼类季节性迁移的影响"和"末次冰期以来东北印度洋古气候和古环境沉积记录（BENTHIC）"这三个海洋科技合作项目，成果显著。

二、港口合作与海上互联互通

在海上互联互通的合作中，目前大部分项目的开展主要集中在印度尼西亚的海上基础设施建设方面。作为中方和印度尼西亚发展战略对接第一阶段的标志性项目，雅万高铁建设目前进入全面实施推进阶段。中国企业参与投资了印度尼西亚民族工程加蒂迪格大坝的实施与建设，从新增高速公路到改善港口物流，两国不断开展项目与工程来促进其在"一带一路"和互联互通领域的合作。2009 年，中国与印度尼西亚合作建设的联通泗水和马都拉岛的泗马大桥建成通车。同年，两国开展了船务合作项目，制定了建立新船厂的规划。2010 年，中国与印度尼西亚签署合作协议，对印度尼西亚的丹戎北腊港、梭闸港口进行建设升级。2012 年 12 月 6 日，中国与印度尼西亚在北京举行了首次海上合作委员会会议，积极深化两国海洋领域合作，并建立了两国海上合作基金，支持中国与印度尼西亚互联互通项目的实施。2019 年中国—东盟港口城市合作网络工作会议在南宁举办，会议上表明中国—东盟港口物流信息中心建设已初见成效。该平台现已成功接入包括北部湾港在内的，中国印度尼西亚的港口船期动态计划数据、集装箱动态数据，平台成功接入北部湾港口系统、国家铁路总公司系统、中交兴路公司货运跟踪系统、国家交流物流公共信息平台，初步实现中国与印度尼西亚港口之间的物流信息共享。中国近几年来还积极参与了印度尼西亚打造比通港和瓜拉丹绒两大国际枢纽港的港口建设工程，承建了美娜多—比通港高速公路等工程。此外，中国公司正积极参与印度尼西亚东部 30 多个码头的建设或改扩建项目，积极参与雅加达丹戎不碌港改建、扩建工程，参与公路、铁路等港口配套设施的规划设计和改造。以中国交通建设集团旗下的中国港湾工程有限责任公司为例，2010 年至 2016 年间先后在印度尼西亚承建了印度尼西亚马杜拉集装箱码头工程、棉兰—瓜拉那姆机场高速公司项目、印度尼西亚 Causeway 一期 EPC 项目、Karang Taraje 港口工程 EPC 项目、宏发伟立氧化铝码头 EPC 总承包工程、万丹 1×670MV 超临界燃煤电站项目煤码头工程海工工程、DBK-MRC 煤炭开发及交通运输基础设施项目、Marunda 工业区栈桥码头一期工程引桥及码头工程、AWAR-AWAR 电厂项目码头工程、阿迪帕拉电站海工项目东防坡堤工程、马伦达工业园中心码头 1B 工程 EPC 项目和 S2P 电站煤码头及取水口淤积整治工程等。

第三节　中国—泰国港口城市合作现状

2015 年 3 月 28 日，国家发展改革委、外交部、商务部联合发布了《推动共建丝绸之路经济带和 21 世纪海上丝绸之路的愿景与行动》（以下简称《共建愿景与行动》）的文件。该文件进一步细化了习主席提出的"一带一路"倡议思想，明确了"一带一路"旨在促进经济要素有序自由流动、资源高效配置和市场深度融合，推动沿线各国实现经济政策协调，开展更大范围、更高水平、更高层次的区域合作，共同打造开放、包容、均衡的区域经济合作架构。中国这一思想从提出伊始就受到泰国国家领导人的重视。泰国领导人深知泰国作为东盟的重要成员国，同时也是中国经中南半岛进入印度洋的丝绸之路经济带的主要交通要道，是中国"21世纪海上丝绸之路"的重要节点，其地缘价值不容小觑。因此，泰国针对中国"一带一路"倡议思想，拓展思路，积极配合和增进共识与沟通，进一步促进了中泰两国经贸文化等领域的合作。

一、港口合作与海上互联互通

《共建愿景与行动》中提到共建"一带一路"致力于亚欧非大陆及附近海洋的互联互通，同时可以建立与加强沿线各国互联互通的伙伴关系，竭力构建全方位、多层次、复合型的互联互通网络，实现沿线各国多元、自主、平衡、可持续的发展。

《共建愿景与行动》同时提出，根据"一带一路"的走向，陆上依托国际大通道，以沿海中心城市为支撑，以重点经贸产业园区为合作平台；海上以重点港口为节点，各国、各地区共同建设通畅安全高效的运输大通道。截至2018年6月，中国对泰国基础设施建设投资达270亿美元，在陆运、航运、空运、数字经济基建方面都有合作。在港口合作方面，中泰两国主要从两个方面开展其间的港口合作。

一个方面是采取"高铁+港口"的模式，利用泰国政府提出的交通、港口等基础设施升级改造项目，推动中方企业在高铁建设、道路桥梁建设和港口码头建设等方面齐头并进，推动中泰港口合作。泛亚铁路的修建便是通过高铁的建设来加强港口合作，进而建立运输大通道。"泛亚铁路"倡议来源于1995年马来西亚总理马哈蒂尔在东盟第五届首脑会议的提议，计划修建一条跨越湄公河流域的铁路，南至马来半岛、经马来西亚、泰国、印度等国到达中国昆明。泰国作为泛亚铁路中段的核心国，具有运输大动脉的核心作用。2015 年 12 月 19 日，泰中铁路合作项目举行启动仪式，泰中铁路开通后将形成从昆明到曼谷的快速通道，带动泰中生产、物流、贸易、旅游等多个行业的发展。2017 年 12 月 21 日，泰中铁路合作项目一期工程在泰国呵叻府巴冲县正式开工。中国驻泰国大使表示，泰中铁路合作项目正式开工，这是泰中共同推进"一带一路"合作、促进地区互联互通的重要成果。

另一方面，我国通过与泰国港口建立友好港口的模式来加强港口城市之间的合作。以广东省的广州港和深圳港为例，目前已经分别开通了 28 条和 26 条直航到达泰国林查班港的集装箱航线，广州港和深圳港同时也与泰国林查班港口签署了港口互联互通备忘录，双方缔结了友好港口。泰方表示未来在宋卡府将建立一个深水港，新港建成后，三天之内就能将货物运送到中国南部港口。2019 年 6 月，中国交通建设局董事会审议通过《关于中国港湾参股投资泰国林查邦港三期集装箱码头 PPP 码头项目的议案》。同意中国港湾参与泰国林查邦三期 F 码头项目投资，项目总投资约为 10.1 亿美元。同意中国港湾参股 30% 与合作方成立项目公司，出资金额不超过 8790 万美元。

二、工业园区的发展

泰中罗勇工业园是由泰国安美德集团与中国华立集团在泰国合作开发的面向中国投资者的现代化工业区，位于泰国东海岸罗勇府，临近曼谷和廉差邦的深水港，总体规划面积 12 平方千米，包括一般工业区、保税区、物流仓储区和商业生活区四区，主要吸引汽配、机械、家电等中国企业入园建厂。泰中罗勇工业园开发有限公司已被中国政府认定为首批"境外经济贸易合作区"——中国传统优势产业在泰国的产业集群中心与制造出口基地，最终打造成为集制造、会展、物流和商业生活区于一体的现代化综合园区。

　　罗勇工业园已成为中国在泰国乃至东盟的最大产业集群中心和制造业出口基地。2018年是工业园历史上发展最好的一年，入园企业数量创新高。这一年，园区拉动中国对泰国投资超35亿美元，入园企业已达118家，累计工业总值超120亿美元，泰籍员工32 000余人，中国员工3 000余人。为当地创造了3万多个就业岗位。展望未来，园区可容纳300家企业，为泰国创造10万个就业岗位。罗勇工业园带动了当地经济，解决了就业问题。

　　泰中崇左产业园是泰国城乡发展基金会与中国广西崇左于2012年9月签订合作的重点跨国产能合作区项目。泰中崇左产业园位于南崇经济产业带中心位置，规划面积超过100平方千米，具有沿边、沿江、近海港等区位优势，吸引了一批国内外知名企业进驻。园区形成了循环糖业、泛家居产业、食品制造产业、新能源新材料产业、跨境电商及港口物流等五大产业集群。目前，园区已具备完整的甘蔗制糖循环产业链和锰、稀土矿精深加工产业基础，食品、药品、家具产业规模逐渐扩大。

　　据泰中产业园管委会统计，2016年，泰中崇左产业园工业总产值达62亿元，同比增长103.3%；工业增加值39.5亿元，同比增长212%；园区五大产业集群的工业项目投资7.6亿元，完成任务的101%，同比增长591%，截至2017年底，产业园已经成功引进美国普里斯伊诺康、中国建材、中粮集团、中国铝业、中信大锰、星期九集团等近百家企业，泰国企业在崇左投资项目有13个，总投资额28亿美元，主要涉及造纸、酵母生产、肥料生产、热能发电等多个行业。园区工业总产值达101.65亿元。园区未来重点规划打造新能源动力产业、泰国风格旅居服务产业等六大超百亿元的产业基地和项目，成为泰中合作示范区、国内外企业投资的新洼地。泰中产业园与泰国泰中罗勇工业园、泰国的莫拉限经济特区、泰国暹罗东方工业园结成兄弟姊妹园区，加之泰国那空帕农府经济特区、洛加纳工业园、立盛橡胶工业园三个园区，已形成"两国七园"联合发展新格局。工业园区符合中泰两国发展战略，响应了中国"一带一路"倡议和泰国发展"经济特区"战略，是中泰两国大力支持的项目。

三、海洋产业贸易和投资

在中泰两国港口合作不断加强，逐步实现互联互通的同时，其周边的海洋产业贸易也在不断取得进展。除了传统的机电、塑料橡胶、化工原料和纺织品等产业外，海洋渔业、海洋汽油业、海洋交通运输业等诸多海洋产业方面皆存在巨大的合作空间，通过深化两国的海洋产业间贸易，提升两国的海洋经济合作水平，加强蓝色经济合作，能够发挥双方的比较优势，最终实现互惠互赢的蓝色增长。

中国对泰国的投资增长势头迅猛，据泰国投资促进委员会数据显示，在国际直接投资（FDI）总额上，中国投资最多，投资额达 2 600 亿泰铢。2019 年泰国共计收到了 1 624 个投资项目的申请，投资申请总额达到 7 560 亿泰铢，其中，中国企业投资申请额达到 2 600 亿泰铢（约合人民币 592 亿元），远超日本的 730 亿泰铢（约合人民币 166 亿元）。随着中国"一带一路"建设规模不断扩大，以及"中泰一家亲"的双边友好关系不断深化发展，泰国市场受到越来越多中国投资者的青睐。中泰双方可在港口建设和船舶制造等方面加强投资与合作，泰国可借助中国的资本、技术和人才改善港口基础设施建设，增强海洋运输产业竞争力；而中国可利用泰国在国际贸易体系中的优势、泰国当地丰富的生产要素以及泰国的交通区位优势获得较高的投资回报。

此外，中国还不断鼓励广东、福建、浙江、江苏、山东等沿海省份结合各省份的具体情况，选择海洋产业领域同泰国开展合作。通过依托亚洲基础设施投资银行，中泰两国不断加强在港口等海洋基础设施方面的投资建设合作，不断深化其间海洋产业的贸易与合作。

四、海洋科研合作

2008 年 9 月 26 日，中国国家海洋局与泰国代表团在北京签署了《国家海洋局第一海洋研究所与泰国普吉海洋生物中心的合作备忘录》，中泰两国海洋科研领域的合作由此拉开了序幕。2011年12月，中国国家海洋局局长刘赐贵率团访问泰国自然资源与环境部，并与部长披查·仁颁布签署了《中华人民共和国国家海洋局与泰国自然资源与环境部关于海洋领域合作的谅解备忘录》，这是中泰两国政府间首份海洋领域合作文件，签署标志着中泰两国在海洋领域的合作形成机制，为双方深化合作奠定了法律基础。2011年12月21日，中国国家海洋局第三海洋研究所所长与泰国农业大学校长共同签署了《泰国湾西南岸中—泰综合海洋观测站建设合作备忘录》，意在泰国湾西南海岸建设综合海洋观测站，进行海洋水动力监测、海洋生态系统监测、海岸侵蚀与海岸动态监测、海岸开发与海岸带综合管理等内容。2012年1月，中国国家海洋局颁发了《南海及其周边海洋国际合作框架计划（2011—2015）》，旨在以增进互信、互利共赢的原则，与周边国家共同开展在海洋领域的国际合作，科学认知、保护、开发利用海洋，减轻海洋灾害的影响，建设美丽和谐海洋，促进经济与社会发展，为地区的和平与稳定做出贡献。2012年4月，第一届中泰海洋领域合作联委会会议顺利召开，《中华人民共和国国家海洋局与泰国自然资源与环境部关于建立中泰气候与海洋生态联合实验室的安排》，同时，"共同建立中泰联合实验室"也写入了《中泰关于建立全面战略合作伙伴关系的联合声明》中，这充分说明了海洋合作已经上升到国家战略层面。2013年6月6日，中泰气候与海洋生态联合实验室在泰国普吉正式挂牌启用，这是我国与泰国在海洋领域的第一个联合研究实体，也标志着中泰海洋合作进入了实质性发展阶段。2013年10月11日，中泰签署了《中华人民共和国国家海洋局与泰王国自然资源与环境部海洋领域合作五年规划（2014—2018）》，双方建立起完备的长期合作机制。

如今，中泰两国已在海洋科研领域建立起了"以中泰海洋领域合作联委会为主要决策机制，以中泰联合实验室为主要实体机构，以中泰海洋科技合作研讨会等为交流渠道，以中泰海洋合作项目为落地平台"的合作体系。

第四节　中国—新加坡港口城市合作现状

新加坡作为东南亚海洋经济的门户国家，既是"一带一路"倡议中转站又是目的地，具有重要的战略地位。目前，新加坡通过 400 多条海洋航线，联结了全球约 600 个港口和 120 个国家和地区。2017 年 6 月，国家发展改革委与国家海洋局联合发布了《"一带一路"建设海上合作设想》，表示中国将加强与沿线国家的海洋合作关系。2019 年 8 月，在第五届新加坡暨区域商务论坛和新加坡暨区域基础设施峰会上，新加坡国务资政兼国家安全统筹部长张志贤表示，随着亚洲的持续发展，基础设施建设的重要作用凸显，加强互联互通是亚洲发展的关键。新加坡积极参与共建"一带一路"，各国可以共同在本地区创造开放与包容并重的环境，投入到基础设施开发建设中去。作为"一带一路"的关键节点，新加坡对"海上丝绸之路"建设的推进有重要影响，也将在全球经济尤其是贸易和海运经济中发挥更加重要的作用。

一、陆海新通道的修建

目前我国正在修建从中国昆明经泰国、马来西亚到达新加坡的泛亚铁路东盟通道，中国西南可通过这一通道西进中东、北非、西欧等地，运输距离可缩短 3 000～5 000 千米，将极大地节省运输成本，提升新加坡关隘地位。

二、工业园区的发展

1994 年 2 月，经国务院批准，苏州工业园区正式成立，同年 5 月实施启动，行政区划面积为 278 平方千米，其中中新合作区占地

80 平方千米。苏州工业园区率先开展开放创新综合试验，成为全国首个开展开放创新综合试验的区域，作为中国和新加坡两国政府间的重要合作项目，被誉为"中国改革开放的重要窗口"和"国际合作的成功范例"。

自开发建设以来，苏州工业园区认真贯彻改革开放的基本国策，积极借鉴新加坡等先进国家和地区的成功经验，坚持新型工业化、经济国际化、城市现代化的发展路径，初步建立了与国际接轨的管理体制和运行机制，之后中新两国政府还成立了联合协调理事会，开创了中外经济互利合作的新模式。20 多年来，苏州工业园摒弃单一发展工业的模式，着眼于"产城融合、以人为本"的定位，按照"先规划、后建设""先地下、后地上"的原则，保持了城市规划建设的高水平和高标准，绿化覆盖率达 45%以上。在"九通一平"的标准下，苏州工业园建成了发达的城市地下管网和高密度的城市路网，通过立体化多层次的交通枢纽与周边发达的高速公路、高速铁路、城际轨道交通实现无缝衔接，打造了便捷高效的综合公共交通体系。在经过奠定基础阶段、跨越发展阶段后，自 2012 年开始，苏州工业园区进入了高质量的发展阶段。2013 年，苏州工业园区确立了争当苏南现代化建设先导区的发展目标，全面实施镇改街道，高水平推进区域一体化发展，开启了深化推进改革创新的新征程。2016 年起，苏州工业园区战略性布局人工智能产业，计划用 3~5 年时间，打造国内领先、国际知名的人工智能产业集聚中心，布局国家级人工智能创新中心，建设产业公共服务平台。2018 年，苏州工业园区共实现地区生产总值 2 570 亿元，公共财政预算收入 350 亿元，进出口总额 1 035.7 亿美元，社会消费品零售总额 493.7 亿元，城镇居民人均可支配收入超 7.1 万元。

中新天津生态城是中国和新加坡两国政府的重大合作项目，是世界上第一个国家间合作开发的生态城市。建设中新天津生态城，是中新两国政府继苏州工业园之后的又一重大合作项目，是我国探索新型城镇化、推进经济转型升级的重要试验载体，是我国应对全球气候变化、节约资源能源、保护环境的重大战略部署。2008 年 9 月 28 日，生态城正式开工建设。2007 年 11 月 18 日，中国与新加坡两国政府签署在中国天津滨海新区建设生态城市的框架协议。2013 年 5 月 14 日，习近平总书记亲临视察，对生态城建设取得的成绩表示肯定。习近平总书记指出，生态城要兼顾好先进性、高端化和能复制、可推广两个方面，在体现人与人、人与经济活动、人与环境和谐共存等方面做出有说服力的回答，为建设资源节约型、环境友好型社会提供示范，这一重要指示为生态城的发展指明了方向。同时，生态城围绕智能科技、金融贸易、文化旅游、大健康等产业集中发力，新增市场主体达到了1 698 家，招商取得了积极成效。截至 2018 年，生态城累计市场主体总数达 8 377 家，其中以互联网+、高科技及文化创意为主的泛智能产业占比达 48%，为产业园区的经济发展增添了活力。

2015 年 11 月 7 日，中国与新加坡在新加坡发表了《中华人民共和国和新加坡共和国关于建立与时俱进的全方位合作伙伴关系的联合声明》。声明指出，双方同意在中国西部地区设立第三个政府间合作项目，选择重庆直辖市作为项目运营中心，将金融服务、航空、交通物流和信息通信技术作为重点合作领域，确定项目名称为"中新（重庆）战略性互联互通示范项目"。双方全力支持发展，认为这一项目以"现代互联互通和现代服务经济"为主题，契合"一带一路""西部大开发"和"长江经济带"发展战略，将成为又一个高起点、高水平、创新型的示范性重点项目。2015 年 11 月 7 日，中新两国政府在新加坡签署了《关于建设中新（重庆）战略性互联互通示范项目的框架协议》及其补充协议，正式启动以重庆为运营中心的第三个政府间合作项目。截至2017 年 8 月，按照中新两国政府签署的各项协议，双方建立起三级合作机制，初步编制成型有关重点规划，相继出台中方 57 条支持政策和新方"8+3"等一批创新举措，签约 90 个重点项目，总额近 200 亿美元，项目的示范性、辐射性、带动性得到显现。截至 2018 年 10 月，中新（重庆）战略性互联互通示范项目已促使中新双方在金融、航空、物流运输、信息通信技术等领域签约 118 个务实项目，总金额已达 214亿美元。

2019 年 10 月 15 日，在中新双边合作机制会议上，重庆市政府与新加坡咨讯通信媒体发展局签署《关于共建中新（重庆）国际互联网专用通道的战略合作备忘录》，将共同推进中新国际数据通道建设和发展，建成为连接"一带一路"与"国际陆海贸易新通道"的主要信息传输通道，形成以"重庆—新加坡"为双枢纽，服务中国西部与东南亚的国际通信网络体系。中新国际数据通道是我国首条针对单一国家"点对点"的国际互联网数据专用通道，该通道是从重庆经广州、香港到新加坡的直达数据链路，由中国电信、中国移动、中国联通等国内运营商与新加坡电信、星和电信联合实施建设运营。2019 年 9 月，在国家工信部，重庆市委、市政府和新加坡贸易及工业部、新加坡通讯及新闻部联合推动下，中新国际数据通道在新加坡正式开通。

自中新（重庆）战略性互联互通示范项目正式启动五年以来，重庆与新加坡搭建了便捷的中新互联互通空中走廊，双方已合力推动"重庆—新加坡"航班从过去的每周 2 班增加至每周 14 班，重庆和新加坡之间的客运量也由 2015 年的 4.5 万人次增加到 2018 年的 19 万人次，客座率超过 80%。与此同时，中新双方还积极开展机场商业和航空产业合作。重庆机场集团与新加坡樟宜机场组建合资公司，共同管理运营重庆江北国际机场 T2、T3 航站楼的商贸、餐饮、广告等非航业务。双方还启动建设中新航空产业园，致力于发展涵盖航空维修、物流、培训、金融等领域的临空产业集聚区。此外，重庆机场的航权开放也取得了实质性成果。在货运业务权方面，新加坡空运企业在新加坡、重庆与美国三地之间享有每周 9 班第五业务权；在航班代码共享方面，中新双方空运企业可以在中国境内开展代号共享合作；重庆市有关企业和院校还与新加坡在飞机融资租赁、航空产业等方面启动人才培养"百人计划"。

现阶段，中国与新加坡正在建设一条陆海贸易走廊，将重庆至广西钦州港的铁运与钦州至东南亚国家的海运连接起来，双方签署了涉及金融、海关监管与青年交流等领域的多份协议。重庆将成为中国与新加坡在"一带一路"倡议框架下合作的重要连接点，推动中国西部地区的发展。

第五节　中国—越南港口城市合作现状

自 2001 年中国—东盟自贸区组建后，越南于 2004 年提出了共建"两廊一圈"，中国与越南随后共同发表了《中越联合公报》，指出双方要探讨开通两条至越南广宁运输线的可行性，以及构建环北部湾经济圈。中国在 2006 年提出泛北部湾经济合作，泛北部湾经济合作是在环北部湾经济合作的基础上外延扩大而成的次区域经济合作区。在地理上，北部湾指的是围绕北部湾海域的中国南部沿海粤琼桂三省各部分以及越南北部沿海地区，环北部湾经济合作指的就是中国三省与越南的经济合作，合作的主要关注点在于交通合作，覆盖各领域具体项目的建设措施，不仅要继续建设沿海港口基础设施，还要共同开辟直航东盟的航线航班，加快中越跨境经济合作区建设，积极推动泛北区域金融市场一体化的建设，开展跨境金融合作和创新，稳步推进跨境贸易人民币结算试点。此外还包括了中国与东盟海洋国制定交通战略合作总规划，双边进行谈判签订交通合作备忘录或联合声明、港口合作协定等，共同打造中国—东盟交通枢纽和交通网络。

在 2006 年首届"环北部湾经济合作论坛"上，中国提出的"一轴两翼"区域合作战略构想中的"一轴"指的就是从南宁到新加坡的经济走廊，它是以铁路、高速公路和高等级的公路为载体，穿过中国广西、云南等省与东盟越南等海洋国和内陆国老挝的经济走廊，这条经济走廊把 6 个国家、9 个城市串联在一起。经过多年规划，目前南宁至新加坡的陆路已经联通，广西到越南的陆路特别是铁路建设加快，其中南宁至越南的国际班列已经开通。2019 年 3 月，东莞至柬埔寨/越南航线正式开通，该航线由安通控股具体运营，是属于东莞港务集团的一条东南亚直航航线。该航线的开通是东莞港积极推进"一带一路"重点节点港建设，丰富航线网络的一大关键举措。东莞港作为该航线的主力出口港，在船期、舱位及柜源等方面提供了充分的支持，便捷的航线网络为中国与越南港口城市之间的合作提供了便捷的海运基础支持。洋浦也在不断加快航运枢纽的项目建设，已初步形成以洋浦港为国际中转港的航线框架，开通外贸航线 8 条，连接越南、新加坡等东南亚主要国家。在资金支持方面，澜湄合作（澜沧江—湄公河合作）是中国、柬埔寨、老挝、缅甸、泰国、越南六国共同发起和建立的新型次区域合作平台。2016 年 3 月，澜湄合作首次领导人会议在中国海南举行，会议上中方宣布设立澜湄合作专项基金，在 5 年内提供 3 亿美元支持六国提出的中小型合作项目。

现阶段越南面临着港口装卸能力无法满足自身贸易需求的现状，港口基础设施升级换代需求紧迫，在开展港口合作上，中越要克服阻力，大力发展港口经济，发掘出越南港口市场中的巨大潜力。

越南与我国的广西壮族自治区、云南省接壤，紧邻北部湾和南中国海，作为泛北部湾经济合作区中的一个重要国家，随着北部湾的不断开发，中国和越南的合作逐步从陆地迈向海洋，两国围绕海洋渔业、海洋油气业以及海洋旅游业等开展了一系列的合作。

2000 年 12 月,中国与越南签署了关于在北部湾进行渔业合作的协定，为两国在海洋渔业的合作提供了制度保障。2005 年 7 月，广西沿海城市钦州、防城港、北海，海南的海口市以及广东沿海城市湛江、茂名、阳江和越南城市海防、下龙九市共同签署了《北部湾旅游圈旅游合作宣言》，计划建设北部湾地区内无障碍的旅游市场。2005 年 10 月，中国和越南两国的石油总公司签署了《关于北部湾油气合作的框架协议》，共同对北部湾的油气资源进行勘探。

越南自身十分重视海洋经济的发展，在 2007 年越南就制定了要成为东南亚海洋经济强国的目标，发布了《至 2020 年海洋战略规划》，力争使越南海洋经济产值占国内生产总值的比重提高到 53% ~ 55%。在中国积极发展海洋经济，加强北部湾地区沿海城市港口建设的背景下，越南也不甘示弱，努力加强西贡港和海防港的建设，加强与中国以及其他东盟国家的合作。

但总体来说，中国与越南政府间的海洋合作仍大多停留在表面的框架协议，与其他东盟国家的海洋合作相比，中越海洋产业的合作比较缺乏且不够深入，中国与越南围绕海洋经济的务实合作有待展开。

第六章　世界港口城市合作案例

第一节　哥本哈根市与马尔默市合作案例

一、合作城市介绍

哥本哈根坐落于丹麦西兰岛东部，是丹麦的首都、最大城市及最大港口，是丹麦政治、经济、文化中心。哥本哈根是北欧名城，也是世界上最漂亮的首都之一，被称为最具童话色彩的城市。12 世纪时，阿布萨隆大主教在罗斯基勒修建要塞，后发展成为"商人之港"，即如今重要的港口城市——哥本哈根。

马尔默是瑞典第三大城市，它处于瑞典南部，踞守波罗的海海口，位于厄勒海峡东岸。马尔默市区分为两部分，一部分濒临海洋，为运河环绕的老区，另一部分是向腹地延伸的现代化新区。据记载，早在 12 世纪就有了马尔默市，它地处林荫海滨，港口运输发展很快。马尔默也是重要的贸易中心，市内有许多有名的贸易和运输公司，从世界各地进口商品，然后销往整个北欧。马尔默市在欧盟的地理条件优越，空运、火车、汽车和海运发达。

二、港口城市合作进程

哥本哈根和马尔默两个港口城市处在厄勒海峡两岸，隔海相望，都是轮船进出波罗的海的必经之地。1995 年厄勒海峡大桥开始建设，2000 年全线通车，它从哥本哈根到马尔默，连接了欧洲中部和斯堪的纳维亚半岛。厄尔森跨海大桥建成通车，把两个相邻的港口连接在一起，使两港一体化发展成为可能。

1. 港口的合作

哥本哈根市想扩大港口以推动旅游业发展，但是，由于缺乏土地资源，哥本哈根港的发展空间受到限制。马尔默市虽然是瑞典第三大城市，但相对来说经济不是很发达。瑞典首都斯德哥尔摩快速发展成为北欧首都城市，哥本哈根市和马尔默市都受到其发展的威胁。马尔默市政府有意依托哥本哈根港带动马尔默港发展，哥本哈根港则看中了马尔默港的发展前景。加之厄勒海峡大桥建成后，一部分原本属于两个港口的海运业务，例如客运业务、滚装船业务、轮渡业务甚至集装箱业务都转向了公路运输，两个港口的营业额都受到了一定程度的冲击和影响，短期内下降了 20%~25%。为了提升营业能力，最终由两市政府和港口董事局拍板，在 20 世纪初实现了合作，共同组建成哥本哈根—马尔默港（简称 CMP），统一经营哥本哈根港和马尔默港，使两港各有侧重、错位发展、合作共赢。

哥本哈根—马尔默港务局系港区的唯一运营商，为更好地平衡两港关系，哥本哈根—马尔默港务局注册地在瑞典的马尔默市，总部设在丹麦的哥本哈根。在股权构成方面，也充分考虑各方因素，目前的港口股份分别由哥本哈根城市与港口发展局（50%）、马尔默市政府（27%）和私有股东（23%）持有。显然，这种股权结构有助于构建港口与哥本哈根和马尔默政府间的紧密合作关系，便于港口业务拓展。

港口停靠船舶主要为邮轮、油轮、集装箱船、滚装船和海军船等。哥本哈根港侧重发展游艇、集装箱等业务；马尔默港侧重发展原油和液体化工品运输、汽车仓储和散货业务等，并适时建设港口工业园。港区主要有集装箱码头、邮轮码头、干散货码头、液体散装码头和汽车运输码头等。值得一提的是，港口针对汽车物流业务制定优惠政策，不仅为汽车厂商提供保税库存，同时还为客户提供交付前检测等多种配套服务，将其打造成为斯堪的纳维亚地区最大的新车物流枢纽。

2. 港口合作的主要特点

一是哥本哈根—马尔默港既是港务局，又是港口运营商，不仅全面负责运输、装卸等业务，而且统筹行政许可和安全等事务。二是分属两个主权国家的港口合为一体，标志着北欧港口发展进程中的重大革新。港口经济一体化将为用户提供更加灵活的服务，并有助于整个波罗的海地区的经济繁荣与发展，也开创了两个国家的两个港口合并后由同一公司同一团队进行两地管理的先河。三是身兼两责的跨国属性，决定了哥本哈根—马尔默港必须协调和平衡各方经济利益。为此，港口将其注册地和总部分设两地，港口的首席执行官在最初两年由丹麦人出任。

3. 港口合作的主要优势

一是资源共享，具有高度的灵活性，双方人员、机械和信息可实行无障碍内部交换。二是极大地为用户简化了谈判程序，对过去挂靠两港的船企而言，谈判对象合二为一，更易于谈妥装卸条件及费率价格，节约大量时间和精力。对于两国的航运业主，都相当于靠泊本国港口，实现了两个港口单一窗口操作的扁平化管理。三是作为统一的港口，可以全面地平衡货物的进出口运量，最大限度地减少空箱运输，为用户降低了成本。四是可为两个国家的市场提供统一的物流，成为欧洲东、中部乃至整个波罗的海区域的物流集散中心。

4. 港口合作的发展规划

一是在资源、信息、设备以及港务人员、管理人员上进行互换互享，整合现有资源，共同建立一套新的港口运营模式。二是同意调度两港集装箱业务，提高集装箱利用率，提升集装箱业务服务质量。三是联合建设物流集散中心和供应链体系，打造欧洲中部和东部的物流供应链中心。

三、港口城市合作取得的成效

1. 营业收入大幅度提升

近 20 年的运营历程证明，CMP 的做法是成功的。两个港口的业务从恶性竞争转为携手合作，由同一个团队根据其资源禀赋和区位优势，进行组合发展，相互配合，优势互补。哥本哈根港侧重发展游艇、集装箱等业务；马尔默港则发展原油和液体化工品运输、汽车仓储和散货业务等，并适时建设港口工业园。

2. 欧盟指定的核心港口

当前，欧盟正在改造基础设施，建设面向 2030 年的"跨欧洲运输网络"。得益于优越的战略地理地位，哥本哈根—马尔默港入选欧盟 83 个核心港口榜单。作为这一网络的重要节点，哥本哈根—马尔默港是整个波罗的海地区的海运枢纽，是欧盟南北运输走廊的要塞。取得核心港口地位后，该港口在新项目开发和进行公共融资时有了更多的便利条件，也更容易获得公众的支持。

3. 汽车码头为北欧最大

作为北欧地区最大的汽车滚装码头，哥本哈根—马尔默港现已与丰田、现代、三菱、雪铁龙、斯巴鲁、福特等 17 个全球知名汽车品牌合作，成为其在北欧地区的保税中转站，每年中转车辆约 50 万辆。

4. 游轮业务欣欣向荣

哥本哈根—马尔默港是欧洲北部地区最大的游轮码头，能同时停靠 14 艘游轮。在夏季短短几个月里要接待约 350 条游轮、80 多万游客和 20 多万船员，高峰主要集中在周末，游客则主要来自德国、美国、加拿大、英国、意大利等国。游客一般都是晚上登船，经过一夜航行，第二天一早抵达目的港，随后进入市中心观光购物游玩，傍晚时分返回游轮用餐，接着再次上岸体验北欧城市的夜生活，在子夜发船前返回游轮前往下一个目的港。大量游轮和游客的到访，带动了港口运营商和整个城市经济的发展。据统计，游轮业务给哥本哈根每年带来的收益高达 8 亿克朗。由于临时停靠和作为母港停靠给港口带来的收益相差 3 倍，各港口对于游轮是否以本港作为母港的争夺异常激烈。让哥本哈根—马尔默港感到自豪的是，该港每年接待游轮中，有 47%的游轮将该港作为母港停靠。这也进一步巩固了其在欧洲北部最大游轮码头的地位，并多次被世界旅游大奖评选为"欧洲最佳游轮码头"。

四、港口城市合作的启示

（1）错位发展，避免同质化竞争，发挥自身特色走出一条差异化发展道路。哥本哈根—马尔默港是港口合并管理的经典案例，把原本处于恶性竞争的港口整合为一，成功实现了资源的优化配置，极大地提升了本港在区域经济中的竞争力，顺应了区域经济一体化发展的必然趋势。港口城市在发展过程中应着眼周边经济发展大势，避免同周边港口同质化恶性竞争。应统筹考虑周边发展现状，走出一条差异化发展的道路，积极融入泛北部湾港口城市联盟、"21 世纪海上丝绸之路"邮轮旅游城市联盟等港口合作机制。在条件成熟时可参考哥本哈根—马尔默港发展模式，与周边有关港口或城市就共同开发港口业务、联合进行港口运营、开辟跨国或跨港合作的可能性和可行性进行深入研究。

（2）以港口合作为突破口，推进"21 世纪海上丝绸之路"的民心相通。哥本哈根—马尔默港的合并不仅促进了两港经济和产业上配置优化，更有效提升了丹麦和瑞典两个国家的人文交流，连接两个城市、跨度达到 16 千米的厄勒大桥也成为两国交往的"民心之桥"。港口城市应发挥在侨务资源、文化相通、地缘相近、人缘相亲、商缘相连等优势，以港口合作为重点突破口，发挥海上丝绸之路战略支点的重要作用，构筑"21 世纪海上丝绸之路"文化交流中心，重点做好对东南亚国家的民心相通工作。

（3）按照"对标全球最高标准，优质服务国民"的标准，放眼国际同时兼顾国内市场，促使国民更多、更快地享受建设成果。哥本哈根—马尔默港虽然对外资、外商、外来高端人才等都制定了极为优惠的政策，但同时也十分注重稳住国内市场，保护本地居民的利益，注重利用发展成果服务本国和本地居民。因为国内市场是其发展的根本，本国居民的支持对港口的发展至关重要。随着中国综合国力提升和居民收入增加，全世界都高度关注和重视中国市场，不少企业把开发中国市场作为其发展的重中之重。除了要着眼国际之外，也不能放弃或忽略国内市场，应当对标全球最高标准提升现代服务业发展水平，使得国民不出国门即可享受到全世界一流的旅游、医疗、消费、金融、教育等服务，让改革开放成果更多地惠及本国居民。

（4）结合产业发展需要因地制宜地制定港区整体规划。参考哥本哈根—马尔默港多个专业化码头建设经验，对标特定领域重点打造专业化港口或码头，突出差异化布局。比如学习借鉴哥本哈根—马尔默港汽车运输码头经验，针对特定产品和企业，研究制定个性化、定制化的服务配套和保障措施，突出专业化建设，逐步完善各港口或码头周边的上游、下游业态，建立完整的区域内服务链条，打造一体化的便捷工作流程，全面提升各种港口或码头业态的服务保障能力。

（5）注重打造专业高效的管理团队，重视人才质量和产出比，避免片面追求人才的无效累积。哥本哈根—马尔默港务局经营团队以精简高效为核心，整个团队仅约380人，但是人均创造的营业额达到198.7万克朗（约27万欧元），其团队运营经验充分验证了：一个专业性强、效率高的精英型管理团队是港口建设的核心。中国—东盟港口城市合作过程中，应提高对引才引智工作的重视。一方面可考虑引进国际一流的管理团队或精英人才；另一方面也可对人才引进的市场和种类需求进一步细分，保证有的放矢。此外，高度重视专业化人才的梯队建设，既要有具备真知灼见的高质量管理团队，也要培养一批专业素质过硬、安全可靠的一线蓝领"军团"。

第二节　南京市与圣路易斯市合作案例

一、合作城市介绍

南京，简称"宁"，古称金陵、建康，是江苏省省会、南京都市圈核心城市，国务院批复确定的中国东部地区重要的中心城市、全国重要的科研教育基地和综合交通枢纽。南京地处中国东部、长江下游、濒江近海，是长江国际航运物流中心，长三角辐射带动中西部地区发展的国家重要门户城市，也是东部沿海经济带与长江经济带战略交汇的重要节点城市。南京是中国重要的航运中心，2011年港口城市空间价值居大陆第四，主要港口有南京港和浦口港。南京港是中国沿海主要港口，国家重要的主枢纽港和对外开放一类口岸，是华东地区及长江流域江海换装、水陆中转、货物集散和对外开放的多功能江海型港口。港区范围208千米，有257个泊位，其中万吨级泊位44个。长江南京以下12.5米深水航道工程于2012年开工，2018年5月8日二期工程试运行，对中国内外船舶开放航行。

圣路易斯市位于密苏里州东部与伊利诺伊州接界处，是美国密苏里州最大城市。圣路易斯市是中西部水陆交通枢纽，位于密苏里河与密西西比河汇合处以南。圣路易斯市原为印第安人的毛皮交易地。1764年法国毛皮商在此建立城堡，以国王路易九世的名字命名，1808年设市。早期为附近地区农畜产品的交易中心；19世纪50年代起，由于河港的开辟和铁路的兴建，城市的工商业迅速发展，并成为美国向西开发的一个重要基地；1900年，城市人口已达50多万；第二次世界大战后，随着近代工业的兴起，城市规模不断扩大。交通运输发达，成为全国最大的内陆河港，码头岸线长达28千米。

二、城市合作进程

1972 年 2 月 21 日，美国总统理查德·尼克松访华，确立了中美两国在未来发展友谊的可能性。随着中美两国非官方接触逐步增多，经贸、教育和文化的交流不断升级，两国人民都意识到建立正式外交关系的必要性和可行性。1978 年，圣路易斯市正式向中国表达了建立友好城市的愿望。

圣路易斯市市长詹姆斯·康威想到了 10 多个中国城市。但是，这些城市要么是经济发展方向与圣路易斯市缺乏交集，要么就是气候特点差异较大。后来，一直致力于中美两国文化交流的圣路易斯华盛顿大学亚洲和近东语言系主任斯坦利·史培德教授，向市长提出了一个选择：南京市。

圣路易斯市和南京市有很多的相似点：都是大型港口城市；都靠近世界著名的大江大河；都有属于自己的故事、自己的历史；都是重要的科研中心和汽车、化学工业中心；甚至连气候特点也极其相近。这两个城市有交流的起点，有共同的渊源，也有彼此合作的基础。当然，另一个重要因素，那就是被中国人称为"革命先行者"的孙中山，曾经在圣路易斯市学习、筹款、撰写革命著作。圣路易斯市是他民主革命生涯最重要的驿站。

1979 年 1 月 1 日，《中华人民共和国和美利坚合众国关于建立外交关系的联合公报》发表，中国与美国正式建立外交关系。同年年初，康威市长给时任南京市革委会主任储江写了一封长信，详细介绍圣路易斯市经济、文化、地理等基本情况，概括了两市的共同点，表达希望尽快与南京市结为友好城市的愿望。1979 年 6 月，受南京市政府邀请，一个美国访华团抵达南京市，这个代表团的团长卡佛先生是康威市长的好友。在参观了南京城的整体风貌后，他向南京市政府再次转达了真诚结好的愿望。1979 年 7 月 21 日至 24 日，圣路易斯市的华盛顿大学、密苏里大学、国际学院联合访华团一行 20 人访问南京市。史培德教授作为访问团的一员，带着康威市长的嘱托，开始与南京市政府讨论建立友好城市的具体事宜。10 月 24 日，圣路易斯市政府在圣路易斯大学举行了由各界著名人士和华侨代表800多人参加的群众大会。主持人当众宣布南京市和圣路易斯市即将结为姐妹城市。1979 年 11 月 2 日，在南京市人民大会堂，时任南京市市长储江和远道而来的康威市长签订《中国南京市与美国圣路易斯市关于建立友好城市关系的协议书》，中美第一对友好城市诞生！

三、城市合作主要成效

40 多年来，两座友好城市在经济、教育、人文等多个领域展开了广泛的交流。创始于圣路易斯的世界 500 强企业艾默生在南京投资建设了研发中心；圣路易斯市赠送给南京市一套完整的儿童乐园设施，位于圣路易斯的密苏里植物园内建有中国江南古典园林"友宁园"，2019 年南京市赠予密苏里植物园一对明式太师椅放置在"友宁园"内；两市在对方城市举办画展、摄影展、文物展；互派合唱团、乐团、钢琴家、爵士音乐家交流演出。

圣路易斯地区教育委员会每年都利用暑假组织教师来南京考察访问，交流教学经验，请高校教师讲授中国传统与文化，增进对中国的了解。南京大学和密苏里大学圣路易斯分校合作开办国际工商管理硕士项目、密苏里大学为南京市公务员举办培训班并安排学员到圣路易斯市政府实习，使学员对美国地方政府运行机制有了切身体会；南京外国语学校与圣路易斯大学附中之间建立了稳定的学生交流机制。

世界知名的密苏里植物园与南京中山植物园结成了友好植物园，在密苏里植物园和南京中山植物园的合力推动下，两国植物分类学家合作完成的巨著《中国植物志》已经出版发行。

南京市和圣路易斯市之间还有一项极其坦诚的交流合作项目，这就是新闻机构的交流切磋机制，这一交流项目开创了中国城市地方媒体与国外友好城市主流媒体深入交流的先例。在圣路易斯市影响最大、日发行量 60 万份的《圣路易斯邮报》记者多次来南京市采访，2000年，该报与《南京日报》记者连续详细报道彼此在当地的所见所闻。

四、城市合作的启示

南京和圣路易斯两座城市有着很多相似之处：悠久的历史、优越的区位、重要的地位，在人口、地理和气候等自然条件上也非常相近。作为第一对中美友好城市，两市通过民间意向推动官方立项，再由官方建立正式渠道，拉动民间各领域的交流合作。自结好以来，两市持续开展了广泛的交流与合作，数次获得全国友协和美国国际姐妹城市协会等组织的多项荣誉，成为我国地方层面持续对外开放的优秀案例，为中美地方交流与合作树立了典范。40多年过去了，无论国际风云如何变幻，两市的友好合作关系始终稳步发展，交流合作遍及文化、艺术、教育、科技、经济等各领域，每逢结好整周年，两市都会派出大型代表团互访。

作为第一对中美友好城市，南京市与圣路易斯市通过民间意向推动官方立项，再由官方建立正式渠道，拉动民间各领域交流合作，为城市合作的发展树立了一个可学习借鉴的典范。

第三节　重庆市与杜塞尔多夫市合作案例

重庆市与德国北莱茵—威斯特法伦州首府杜塞尔多夫市自结好以来，经贸先行，厚植友谊，在经贸、物流、科技、会展、文教等领域交流合作多点开花。"渝新欧"国际铁路大通道的开通，重新打通了东西方陆路运输的通道，为重庆市与杜塞尔多夫市的友好城市合作赋予了新的内涵。

一、合作城市介绍

重庆是中央直辖市、长江上游地区经济中心、金融中心和创新中心，国务院定位的国际大都市，中西部水、陆、空型综合交通枢纽。1997 年 6 月 18 日成为直辖市后，重庆老工业基地改造振兴步伐加快，形成了电子信息、汽车、装备制造、综合化工、材料、能源和消费品制造等千亿级产业集群，农业农村和金融、商贸物流、服务外包等现代服务业快速发展。重庆拥有中新（重庆）战略性互联互通示范项目、国家级新区——两江新区、渝新欧国际铁路、重庆两路寸滩保税港区、重庆西永综合保税区、重庆铁路保税物流中心、重庆南彭公路保税物流中心、万州保税物流中心。

杜塞尔多夫位于欧洲莱茵河畔，是欧洲人口最稠密、经济最发达地区北莱茵-威斯特法伦州的首府，是德国广告、服装、展览业和通讯业的重要城市，是欧洲物流中心城市。城市基础设施完善，四通八达。

二、城市合作进程

2004 年 7 月 24 日，重庆市与杜塞尔多夫市签署《中华人民共和国重庆市与德意志联邦共和国杜塞尔多夫市缔结国际友好城市关系协议书》。签约仪式上，杜塞尔多夫市长乔基姆·欧文先生，用诗一般的语言总结了他的签约致辞："我与我的朋友王鸿举先生（时任重庆市市长）一起种下了两座城市的友谊种子，或许有一天，这粒种子会长成参天大树。当我们坐在树下，我会想，是的，真不错，我们当年做出了正确的选择。"

重庆市与杜塞尔多夫市结好的目标：第一是经济交流，让中国企业到杜塞尔多夫市去，德国企业到重庆来；第二是促进旅游业，希望赢得更多的旅游团，让两座城市的市民首选对方作为旅游落脚点。在重庆市与杜塞尔多夫市正式签订友好城市协定前的 8 年间，两市经贸往来就十分密切。杜塞尔多夫市非常重视中国西部的发展。"杜塞尔多夫向中国敞开大门，没有一个城市比杜塞尔多夫更合适中国在欧洲寻求销售市场和平台。"欧文市长自豪地说，"我认为中国的未来在西部，而杜塞尔多夫是德国第一个与重庆结好的城市。"无独有偶，重庆市对杜塞尔多夫市的金融、媒体经济、职业培训、制造业特别是机器制造、化工、环保设备和医学设备都充满了兴趣。时任重庆市市长王鸿举直言，"德国是欧洲经济实力最强的国家，德国产品的质量在中国享有极高的声誉，这使我们能够从中获取收益。"双方对建立友好城市的愿景高度一致，展望经济合作前景，彼此一拍即合。

习近平主席提出建设"丝绸之路经济带"的倡议，就是秉承共同发展、共同繁荣的理念，联动亚欧两大市场，赋予古丝绸之路新的时代内涵，造福沿途各国人民。中国和德国位于"丝绸之路经济带"两端，是亚欧大陆的两大经济体，也是渝新欧铁路的起点和终点。渝新欧是一条连接欧亚的国际铁路联运线，2011 年通车，始自重庆，途经西安、兰州、乌鲁木齐，从新疆阿拉山口出境，经过哈萨克斯坦、俄罗斯、白俄罗斯、波兰，最后到达德国杜伊斯堡，全长 11 179 千米。"渝"指重庆，"新"指新疆阿拉山口，"欧"指欧洲，合称"渝新欧"。它重新打通了东西方陆路运输的通道，又被人们称为"新丝绸之路"。承载着"丝绸之路经济带"陆路大通道建设的重要使命，重庆市和杜塞尔多夫市借渝新欧国际铁路大通道，正在携手谱写合作共赢的新篇章。

三、城市合作取得的成效

自结好以来，两市交流一直秉持着密切经贸往来的理念，2011 年 1 月至 2015 年 8 月，渝新欧班列货物运输总量已达约 3 万标箱，进出口贸易额约 100 亿美元，货值占整个经阿拉山口出入境中欧班列的 80% 以上。不过，目前这条铁路还主要是中国到德国的单向运输，为吸引返程货源，重庆市专门在杜塞尔多夫市设立了重庆市政府物流协调办公室驻欧洲联络处。据重庆商务委员会统计，2017 年重庆市与德国进出口总额 62.1 亿美元，同比增长 31.5%。其中出口 53.8 亿美元，同比增长 34.5%，进口 8.3 亿美元，同比增长 14.%。来自杜塞尔多夫市的德国最大、欧洲第二、世界第三的麦德龙零售批发超市集团，德国工业巨头蒂森克虏伯集团先后落户重庆，拥有丰富会展经验的杜塞尔多夫国际博览会也在重庆设立办事处。杜塞尔多夫掀起了"重庆热"，截至 2018 年 3 月，重庆市累计批准德国外商投资企业 67 家，吸收合同外资 6.9 亿美元，实际使用外资 14.8 亿美元。重庆市在德国累计投资设立企业 14 家，投资总额 3.8 亿美元。两市结好的进程稳健，前景无限。

2011 年开始，每年在杜塞尔多夫市举办为期一天的"中国节"，中国节最初由杜塞尔多夫市政府提出举办，由重庆市派艺术家代表团参加。从富有巴渝风情的民乐演奏到令人拍案称绝的杂技表演和川剧"变脸"，从作为对外宣传长期阵地的图书捐赠点"重庆之窗"到展现重庆当代艺术最高水平的"情怀与温度"重庆当代艺术展，从精妙绝伦的功夫茶表演到接地气的火锅展示，每年都有新意，每年都充满了浓郁的巴渝情。虽然每次只有一天时间，但都能吸引大量游客驻足。每年中国节都会吸引 3 万多名游客前来，每年中国节后，市民都会感到"意犹未尽"。很多杜塞尔多夫市民致信市长，感谢中国节活动让他们了解到多元化的中国，表示希望到中国旅游，希望市政府与中国使领馆举办更多的交流活动，希望了解更多与中国有关的投资信息。

2014 年，中国驻杜塞尔多夫总领馆筹建，重庆市人民政府向总领馆捐建了名为"比翼亭"的中式凉亭，上面题刻着"丝路春融花竞放，莱河日丽燕双飞"。这座具有传统巴渝风格的四角双亭，矗立在莱茵河畔，不仅成为当地的标志景观之一，同时也成为中德文化交流、重庆市与杜塞尔多夫友谊的见证，象征着两市友谊如春花常开不败，两市的合作共赢发展如丽燕比翼齐飞。

日益密切的经贸往来，热络的民间互动，在两国人民心中绽放出灿烂的友谊之花。杜塞尔多夫人民爱好和平，勤于理性思考，重视效率与创新，与积极进取、开拓创新的重庆人民形成性格互补。双方对彼此文化的认同为友好合作奠定了厚重的人文基础。

四、城市合作启示

"一带一路"倡议在这个变革与重塑的伟大时代，给古老的丝绸之路带来了新的外延与内涵，给沿途各国城市带来了机遇与未来。

（1）"渝新欧"铁路沿线的五个国家，如果想要抓住时代的机遇，保持稳定、快速的增长，首先便需要加大劳动力资本的投入。部分不需要依赖劳动力资本的国家可以将多余的劳动力输出给其他国家，既缓解本国的就业压力，同时又在一定程度上推动该国经济的发展。我国西部地区作为劳动供给基地，人力资源丰富，而重庆又凭借其地理优势，作为重要的对外窗口，整合西部省市人力资源，建立国际化的人才交流中心。这样不仅能使我国富余的劳动力输出至"渝新欧"铁路沿线国家，同时也能引进他国优秀人才，进而有效地推动重庆的发展，并带动整个西部经济，从而逐步实现西部经济、产业的转型升级。

（2）重庆作为"渝新欧"起始点，凭借其自身优势，主动联系周围省市，建立以重庆为中心的西部国际物流集散中心，从而加强与波兰、白俄罗斯等国的贸易往来，从而带动西部经济发展。

（3）重庆是"渝新欧"铁路沿线的起点，同时也是我国西部工业龙头城市。重庆主动学习先进的工业技术及理念，最大限度地发展重庆地区基础建设的优势，提升扩散效应，建立西部地区经济集群，带动西部经济发展。

第四节　天津市与神户市合作案例

一、合作城市介绍

天津，简称津，中国直辖市、环渤海地区经济中心、首批沿海开放城市，全国先进制造研发基地、北方国际航运核心区、金融创新运营示范区、改革开放先行区。天津位于海河下游，地跨海河两岸，是北京通往东北、华东地区铁路的交通咽喉和远洋航运的港口，有"河海要冲"和"畿辅门户"之称。对内腹地辽阔，辐射华北、东北、西北 13 个省市自治区，对外面向东北亚，是中国北方最大的沿海开放城市。2014 年 12 月 12 日，位于天津市滨海新区的中国（天津）自由贸易试验区正式获得国家批准设立。2015 年 4 月 21 日,中国(天津)自由贸易试验区正式挂牌。中国(天津)自由贸易试验区为中国北方第一个自贸区。

神户,是一个位于日本西部近畿地方兵库县的都市,是兵库县的县厅所在地,位于日本四大岛中最大的一个岛——本州岛的西南部,西枕六甲山,面向大阪湾。位于京阪神大都市圈,也是政令指定都市之一,日本国际贸易港口城市。1868 年,神户成为日本最早开放对外国通商的五个港口之一,之后神户迅速发展为日本最重要的港湾都市之一。1995 年的阪神大地震虽然给神户带来了巨大的打击,然而经过多年的重建,神户的都市建设和人口都已超过地震之前的水准。神户也是一座宜居都市,并曾在 2007 年入选福布斯杂志评出的"世界最清洁的 25 座城市",其后也于 2012 年在瑞士咨询公司 ECA 国际评选出的世界宜居都市排名中排名第五位,是唯一入选前十位的日本都市。

二、港口城市合作的进程

1972 年 9 月 29 日,周恩来总理和日本国内阁总理大臣田中角荣在北京签署了《中华人民共和国政府和日本国政府联合声明》,实现了中日邦交正常化。1972 年 10 月 11 日晚上,中日青少年游泳友谊赛在北京体育馆举行。周恩来总理出席观看比赛。在比赛休息时,周总理亲切会见了神户市市长宫崎辰雄。宫崎辰雄市长告诉周恩来总理:"神户港常有中国船停泊,我想在岸上找个地方,使中国船员可以上岸住宿或休息。"宫崎辰雄市长希望神户市与上海市或天津市结为姐妹城市。周总理询问了神户的一些情况后说:"天津正在建设新港,是很好的港口。"示意神户市可与天津市结为友好城市。

1973 年 5 月 2 日,廖承志率中日友好协会代表团访问日本,同时带去了一份"友好的礼物"。在神户市举行的招待会上,中方宣布天津市接受了神户市的友好建议,决定与神户市建立友好城市关系。同年 6 月 24 日,天津市人民礼堂,由宫崎辰雄市长率领的神户市友好代表团和 1 900 名天津市民欢聚一堂,庆贺渤海之滨的天津市和濑户内海之畔的神户市正式结为友好城市。天津市与神户市的结好，不仅开创了中华人民共和国成立后与外国城市结好之先河，也为中日两国民间交往史谱写了新的篇章。此后的40多年，两座城市开展了全方位交流与合作，取得了丰硕成果，成为中外友好城市交往的典范。

在结好10周年时，两市市长的会晤为天津港和神户港的合作迈出了重要一步——第一个外国港口顾问团来到了天津。1984年3月1日，两市政府正式签署了《关于神户市协助天津港进行管理和建设协议书》，并向神户港湾局局长鸟居幸雄颁发了担任天津港最高顾问的聘书。1984年4月，神户港口顾问团到达天津市后，立刻深入码头、货场、仓库、锚地、船闸、围埝、防波堤，进行测量、观察、座谈，努力掌握第一手资料。他们常常因为计算与分析工作到深夜，他们跑遍了天津港的每一个角落，深入铁路、公路、外贸、内海航运等30多个部门进行调研，鸟居幸雄一行针对天津港存在的问题，提出解决方案，制定改造措施，规划出了一份天津港长远发展蓝图。经过双方共同努力，天津港有效地解决了压港、压船问题，从而进入了长足发展阶段。作为改革试点，天津港也于1984年6月在全国第一个实行了"双重领导，天津为主"的港口管理体制，为中国港口管理体制的全面改革奠定了基础。

在从天津港出发的多条航线中，有一条特殊的航线——天津·神户海上航线，它的开通为两个友好城市之间架起了一座海上友谊桥梁。1989年3月，在时任天津市市长李瑞环和神户市市长宫崎辰雄亲自倡导下，中日联合投资成立了天津津神客货轮船有限公司，并投资2500万美元建造了豪华国际客货轮"燕京号"，经营往返中国天津市与日本神户市的客货运输业务，自此改写了天津市没有国际客运班轮的历史。1990年3月16日，"燕京号"从神户市航驶向天津市，这座金色的海上桥梁揭开了天津市与神户市友好交往史新的一页。

三、港口城市合作进程取得成效

如今，天津港货物运输繁忙，对外贸易发展迅速，已成为中国北方最大的综合性港口，货物吞吐量排名世界第 4 位，同世界上 180 多个国家和地区的 500 多个港口建立了贸易往来。

天津港利用发展邮轮经济的优势，积极协助神户港创新两港合作的新模式。2012 年，以天津港为母港的皇家加勒比邮轮挂靠神户港，成为有史以来停靠神户港的最大邮轮，不仅有力推动了神户市邮轮产业的发展，也为扩大两市港口间邮轮航线的合作创造了有利条件。

近年来，两市的社区合作成为借助友好城市交流机制，服务社会发展的范例。为有效提高天津市社区工作者水平，2008 年，在两市结好 35 周年之际，经与神户市商议，由天津市社区工作者组成的市民代表团访问神户市，学习交流社区管理经验。代表团 100 多名成员是从天津市 1 400 个社区近万名管理者中推选产生的。访日期间，他们出席了两市社区建设交流研讨会，考察了神户市防灾福祉社区和专门为老年人、残疾人服务的幸福村等代表性社区，学习了解日本社区在环境保护、社区养老以及防灾自救体系方面的管理经验。活动结束后，天津市民政局立即组织全市各区县开展"做友好使者，创和谐社区"活动，对照日本社区先进经验，查找本区县社区管理中存在的问题，制定改进措施，包括对 350 个旧社区进行全面治理；为近 800 个社区配置救灾应急工具箱；提高居委会成员的生活补贴标准和社区办公经费标准。

除了政府主导、积极规划外，两市基层各界通过丰富多彩的人文交流活动，促进市民不断加深情感交流，特别是在两市友好城市关系的大背景下，双方各领域基层单位纷纷建立了诸如友好港口、友好学校、友好电台、友好医院等对口交流关系，扩大了各界基层人员往来，拓宽了市民参与友好城市交流的渠道。

四、城市合作的启示

一个在渤海之滨，一个在濑户内海，天津市与神户市本着友好务实原则，继承传统又勇于突破，表现出了地方的特色与优势——从港口建设到经贸合作，从灾难互助到城市建设，尤其是两市间的社区合作更是将友好与情谊落实到了人民心间。

城市间的交流在加强各国人民相互理解、提升地方经济活力、推动两国关系发展、维持世界和平中发挥着重要作用。这一作用，将随着国际关系的复杂化、世界经济一体化的深化越发显现。缔结友好城市已被认为是城市间加强国际交流的一种必要且有效的制度工具。

（1）有助于提升两市间的信赖，增加亲近感，从而有利于促进两市在各领域开展交流与合作。

（2）有利于地方政府、市民、学校、企业及各种组织在这一框架下开展持续的交流与合作。友好城市的缔结为两市各阶层人士间交往，各组织间交流及开展友好交流活动提供了依据与保障，使民间交流活动更容易得到政府在人、财、物等各个方面的支持，为市民提供了参与国际交流的机会。

（3）在友好城市框架下，地域社会的所有课题都可以成为友好城市交流、合作的主题，有利于扩展交流、合作的领域。主题不仅包括青少年对海外世界的理解，还包括从环境、福祉、街区建设到多文化共存的所有地域社会课题。友好城市的建设不仅可以促进城市的国际化，还有利于社会、文化的发展与经济的增长，并为推动两国关系、维持世界和平做贡献。

（4）友好城市关系缔结后，双方以周年庆典为契机，开展两市政府官员间的互访、民间团体的交流，并举行各种活动。这不仅有利于增进两市人民的了解和友谊，促进两市友好关系的发展，而且有利于交流合作的可持续性，成为缓解国家关系的缓冲器与稳定国家关系的基石。

（5）从长远来说，友好城市交流有利于加深普通市民间的相互理解，培养对不同文化的宽容性。国家间关系的维系与加强除了依赖两国间的外交之外，建立城市与城市间、市民与市民间的交流渠道也是非常有必要的。因为，外交的基础是国民间的相互理解、相互信赖。如果国民间能够通过缔结友好城市产生国际间的相互信赖，产生连带感与亲近感，会有利于加深相互理解，从而为世界和平做出贡献。通过缔结友好城市，有利于形成"建立城市与城市、市民与市民间交流的渠道—提升城市国际化、增加城市福祉与市民间理解—维系与增强国家间关系"的良性循环。

第五节　大连市与北九州市合作案例

一、合作城市介绍

大连，别称滨城，是辽宁省副省级市。大连位于辽东半岛南端，地处黄渤海之滨，背依中国东北腹地，与山东半岛隔海相望，是中国东部沿海重要的经济、贸易、港口、工业、旅游城市，也是新一线城市。大连环境绝佳，气候冬无严寒，夏无酷暑，有"东北之窗""北方明珠""浪漫之都"之称，是中国东北对外开放的窗口和最大的港口城市；先后获得国际花园城市、中国最佳旅游城市 、国家环保模范城市等荣誉。

北九州市位于日本九州的经济中心福冈县，以北九州和福冈市为中心构成了日本三大都市圈之外的"北九州福冈都市圈"。北九州市是日本九州人口规模第二大城市、全日本第十三大城市，1960 年由小仓、若松、八幡、门司、户佃 5 市合并而成。因地处日本九州岛的最北端而得名。全市面积 488.78 平方千米，为日本行政区制中为数不多的 20 个政令指定都市（主要城市）之一，其在行政上享受高度自治权。北九州作为日本明治时代工业革命的起点，一直是日本最主要的工业城市和港口城市之一。北九州与世界 80 多个国家建立了航运关系，工业发达，以钢铁、化学为主，还有机械化工、食品加工、陶瓷等产业。在发展产业的同时，北九州市在城市建设、环境治理方面也有显著成绩，是联合国表彰的治理环境典型城市，创造了治理工业环境的新模板——"北九州模板"，习近平主席曾于 2009 年访问该市并考察环境治理。

二、城市合作进程与成效

大连市与日本在历史和人文上颇有渊源。在中日邦交正常化的时代背景下，大连市与北九州市于 1979 年 5 月 1 日正式缔结友好城市关系。截至 2015 年 7 月 1 日，大连已与 7 个国家的 9 座城市（地区）结为友好城市。在这 9 座友好城市中，日本北九州市最早结好，关系最为密切，两市的友好合作最富有成果，也最具有特点。

1. 环保方面紧密合作

20 世纪五六十年代，作为日本四大工业区之一的北九州市曾经烟囱林立。"七色云雾"遮天蔽日，临近的洞海湾严重污染，一度成为生物绝迹的"死海"，被列为"公害聚集区"，居民因哮喘疾病叫苦不迭，西方媒体甚至将北九州城市污染问题称之为"环境噩梦"。

面对已无退路的严重污染，北九州市的市民积极行动起来。他们自发成立环境保护组织，利用各种宣传方式吸引全社会关注。在民众的大力呼吁下，政府、企业和民众同心协力开始了全面治理行动。北九州市的环境保护意识开启了全日本环境保护革命，直接促使日本在 1967 年通过了第一部环境基本法《公害对策基本法》。长达 20 多年的不懈努力和各种环保举措的集中实施，使曾经被称为"七色云雾"的北九州市，终于在 1987 年被日本国家环境厅选为"星空之城"。1988 年，日本政府在北九州市召开第一届"星空之城、蓝天之城国际会议"。1990 年，北九州市成为第一个获得联合国环境规划署"全球环境 500 佳"称号的日本城市。

时任北九州市市长末吉兴一深有感触，认为北九州走的是典型的"先污染后治理"的工业化发展道路，消耗了太多的经济成本，给当地市民健康造成了难以挽回的损害。如果在公害发生前就加以治理，损失会小得多。在环境保护方面，北九州市有教训，也有经验，希望别的城市不要再重复它走过的老路。

与北九州市一衣带水的大连市，正借中国改革开放的春风，大力发展重工业产业。北九州市"度劫重生"的故事给大连市政府和市民极大的触动。他山之石可以攻玉，同处环黄海经济圈的两座城市，大连市和北九州市在环境保护方面的密切合作由此拉开了大幕。

大连市长期以来以重工业闻名。如果说东北是中国的重工业基地，那么大连市可以说是"重中之重"。在相当长的时间里，石油化工、船舶、机车、重型机械一直是大连市最具传统优势的产业。但落后的生产工艺、老化的设备和不合理的工业布局，给大连市的空气、土壤和饮水带来了严重的影响。北九州市的发展道路让大连市开始思考"工业化"的环境成本问题，其结论是肯定的：必须避免"先污染后治理"的发展路径，必须提早谋划前瞻性、创新性的产业革新和环境保护举措，从根本上解决工业化过程中的环境污染问题。

就这样，大连市在与北九州市缔结友好城市关系伊始，率先启动了环境保护方面的交流与合作。以邀请日本 3 位环境保护领域专家到大连市进行"公害管理"讲座为契机，两市正式拉开了环境保护合作的序幕。1996 年，北九州市组织实施"大连环境示范区"开发调查项目，一份《建设"大连环境示范区"开发调查报告书》为大连市绘制了环境保护 10 年发展规划蓝图。1997 年，两市启动了中日第一批环境合作"示范城市"建设项目。经过北九州市在日本国内的申请和争取，大连市优先得到了约合 1 亿美元的日元贷款以及日本国际协力机构赠送的价值 3 000 万元人民币的环保设备，用于重点推进企业的技术改造及城市污水处理设施的建设。通过资金投入和不懈治理，到 1999 年底，大连市的环保基础设施得到了明显完善，老旧企业清洁生产和技术改造合作成果显著，建成 5 座城市污水处理厂，生活污水处理率达70%，生活垃圾基本实现了无害化处理，产业废物安全处置场也陆续建成投入使用，而且还建成了 9 个自然保护区。大连市空气质量、海域环境质量和噪声污染状况均得到明显改善。同时，通过与大连市的环境保护合作，北九州市自身的环境保护技术也不断提高，如存在大气中的污染物二氧化碳由 1965 年的 0.06ppm 下降至 0.01ppm；悬浮物浓度由 0.06ppm 下降到 0.045ppm；城市污水处理率达 90%以上；水污染治理达标率 99.5%；垃圾无害化处理率达 80%以上。

两座友好城市以环境保护为中心的主题式合作成果得到了世界的肯定和认可。2001 年 6 月 1 日，联合国环境规划署向全世界发布"全球环境 500 佳"名单，大连市榜上有名，成为中国第一个被联合国环境规划署授予这一称号的城市。巧合的是，当年北九州市也曾是第一个取得这一称号的日本城市。

2. 从"生态工业园"到"循环城市"

一个现代化的城市，仅仅有洁净的水和空气是远远不够的，它必须同时具有充满生机的经济。21 世纪，两座城市在经济发展上有了更加密切的合作，进入了一个新的合作发展阶段——环保产业化。

2009 年 11 月 1 日，大连市与北九州市签署了《大连市与北九州市关于中日循环城市项目大连生态工业园区（静脉产业类）合作备忘录》。北九州市承诺：充分利用北九州市在构建循环型城市方面的先进经验，协助大连市开展循环城市建设。

在日本，将废弃物转化为再生资源的行业形象地比喻为"静脉产业"，即完成了一个从工业生产、消费到再生产的循环过程，同时也被称为"循环城市建设"。北九州市在循环城市建设的标志性成果是"北九州生态工业园"。作为日本第一个生态园区项目，它是日本乃至全球最完善的生态循环工业园区之一。北九州市依托完善的日本环境法律法规体系和独特的地方环境保护产业振兴政策，着力环境保护技术开发及商业化利用，将生态工业园打造成为产学研一体化、废物零排放的资源循环基地。

这种发展模式为大连市提供了全新的发展样板。大连市将目光聚焦到了前景广阔的循环经济产业上，并开始全面推进"大连生态工业园"的建设，具有丰富生态工业园区规划经营经验的北九州市和拥有广阔循环经济产业资源的大连市再次携手。在中日双方环保产业专家的共同努力下，通过引入北九州市先进理念，"大连生态工业园"以高起点规划、高起点建设的态势进入了快速推进期。为了给园区提供充分的政策支持，大连市正式颁布了《大连市循环经济促进条例》和《关于推进大连市再生资源回收体系建设的实施意见》。在全市范围内，全面开展再生资源回收体系建设，并加强再生资源的安全监管和全面利用；同时投资近 23 亿元，启动建设再生资源拆解区、低碳经济产业区、物流运营服务区、行政监管区、研发孵化功能区、商务三产金融保险生活服务区、环保设施及基础设施运营服务区等七大功能区，在道路、专用进出通道、水电、管网、绿化、远程监控等方面积极比对日本标准，并充分预留可持续发展的空间和潜力。"大连生态工业园"通过了中国生态环境部、海关总署、国家质量监督检验检疫总局的联合验收，成为东北地区唯一正式通过该验收的再生资源示范园区。

大连市与北九州市在环境保护产业方面的合作，使大连市成为中日先进技术的先试区、先行区和先导区，在中国乃至东北亚地区具有重要的示范和辐射作用。大连市还积极努力推动由大连市一极带动辽宁沿海一线、环渤海一圈、中国一面、中日韩一域的环保水平的提升。2004年，由中日韩10个重要城市参加的"东亚经济交流推进机构环境分会"正式成立，并推选大连市作为中国干事城市。

2013年5月，国家发展改革委员会、外交部、财政部联合发文同意大连市循环产业经济区即"大连生态工业园"开展"中日韩循环经济示范基地建设前期工作"，使之成为全国仅有的三个园区之一。为了继续推动"大连生态工业园"的建设，2013年8月，大连市与北九州市又签署了《大连市与北九州市关于大连循环产业经济区合作备忘录》，在循环经济发展与构建低碳化社会方面展开全方位合作。

两市决策层的高度重视，百姓的共同参与，企业界的积极对接，使大连市与北九州市走出了一条以环境保护作为支点的全方位友好城市合作之路——环境保护合作成为改善生态环境的"加速器"，提升环境保护理念的"扩音器"，中日两国关系的"减震器"。时任中国驻日本大使王毅评价大连市与北九州市的友好城市关系"堪称中日间友好城市交流的典范"。

三、城市合作的启示

（1）正确认识国际合作在环境保护工作中的地位，积极开展国际、国内环境交流与合作。全球环保事业发展至今，各个国家都在污染治理、生态保护、环境与经济协调发展等方面进行了广泛实践，取得了丰硕成果，积累了宝贵经验。同时，环境污染与生态失衡是全球性问题，因此，加强生态建设与环境保护、实现可持续发展，国际、国内合作是必由之路。

（2）注重双方平等合作，发展自己的环境产业。在环境合作中，要重点加强双方在环境问题上的共同研究、环境技术上的共同开发，相应减少直接的资金、技术和设备引进，在此基础上，大力发展自己的环境产业，培养自己的科研人员和技术人员，建立平等互利的合作机制。

（3）增强环境意识，熟悉国际环境法则。借鉴大连与北九州环境合作的经验，通过新闻媒体大力宣传科学发展观对环境保护的内在要求。把环保公益宣传作为重要任务，及时报道党和国家环保方面的政策和措施，宣传环保工作中的新进展、新经验，努力营造节约和保护环境的舆论氛围。加强环保人才培养，强化青少年环境教育，开展全民环保科普活动，提高全民保护环境的自觉性。

（4）政府和民间双管齐下，积极推进环境交流与合作。推动民间的环境合作，包括环保产品贸易、技术引进、人员交流等。通过政府间达成的各种环境合作协议和计划，推出有利于环境合作的政策和措施，针对环境问题建立交流协商机制，为双方环境交流营造良好的氛围和提供基本框架，推动民间环境贸易、技术和教育科研交流的发展。

第七章　中国—东盟港口城市合作的挑战与建议

第一节　中国—东盟港口城市合作的挑战

一、中国—东盟港口城市基础设施互联互通面临的挑战

基础设施互联互通是推动中国与东盟合作的重要举措。我国与东盟正在推进中国—东盟自贸区升级，打造"一带一路"中的海上丝绸之路，力求建设中国与东盟"黄金十年"之后的"钻石十年"。目前，在"一带一路"等规划中已经初步形成中国与东盟基础设施互联互通的远期规划，开始筹建亚洲基础设施投资银行，以交通基础设施为主的规划理念已经得到较为普遍的认同。基础设施互联互通建设涉及的国家众多，利益巨大，这也决定了互联互通建设不可能一帆风顺，面临着来自政治与经济上的众多阻力。对于中国—东盟的港口城市而言，如何解决资金缺口问题、如何提高政治互信等都是推进互联互通要克服的困难，而区域外其他大国积极加入市场竞争也增加了互联互通建设的难度。

（一）中国—东盟港口城市基础设施互联互通面临的内部挑战

1. 中国的内部挑战

对于中国而言，国内政策不到位、地方政府利益不协调、产业转移操作过度等都是亟待解决的问题。

（1）国内金融发展水平不足，资金缺口较大。

互联互通尤其是基础设施互联互通建设前期需要大量的资金投入。相比较而言，东盟国家的经济实力弱于中国，这也就意味着中国成为主要的资金投入国。2014 年 10 月 24 日，亚投行在 21 个首批意向成员国的共同努力下于北京签约决定成立。2015 年 12 月 25 日，亚投行正式成立，截至 2016 年底，吸收了 57 个国家和地区参加，其中东盟是最积极的地区，显示了其代表的巨大的需求缺口。但是亚投行本身仍然存在很多问题：首先是潜在的投资风险。一方面来自贷款方政府清偿能力不足，另一方面来自军事冲突、政权更迭、地缘政治冲突等非经济因素。其次是亚投行的相关技术问题。如何合理利用金融杠杆的放大效应来提高亚投行融资效率，如何调动私人部门积极参与拓展融资方式，都是亟待解决的难题。

国内金融监管不到位是互联互通的又一个制约。中国—东盟基础设施互联互通必然涉及大量的融资方式创新。一是基础设施建设需要金融支持，而各国的金融发展水平和金融监管状况存在较大的差别，这就要求各国进行金融监管的信息交换与方式协调。二是中国—东盟基础设施互联互通的规模庞大，风险随之增加，对金融监管提出了更大的挑战。

（2）地方政府间利益不协调。

虽然中国与周边国家的互联互通建设由来已久，但自上而下的互联互通战略顶层设计是近年来才出现的。换而言之，过去较长一段时间内，地方政府是推动与周边国家互联互通的主力。而地方领导人在推动与周边国家的互联互通时，往往会首先以带动本地经济发展甚至是追求个人政绩为出发点。这样就导致中央和地方的目标差异及相关省区相互竞争的局面。

在与周边国家互联互通中起着重要作用的沿边省区普遍经济发展水平不高，外事权限和财力不足。同时，与周边国家的互联互通总体上属于中央政府管理的事务，地方没有直接与外国政府商谈并签署互联互通协议的权力。为此，相关省份纷纷提出各自的互联互通规划，希望获得中央政府的重视和支持，彼此间的竞争颇为明显。这种竞争不仅存在于沿边省区之间，也存在于内陆省区（直辖市）与沿边省区之间，以及参与投资东盟国家基础设施建设项目的中国企业之间。更为重要的是，中央和国务院各个部门对与周边国家互联互通的战略设想也有不同的看法，在相互配合时容易产生摩擦。目标不一致和相互竞争的最终结果就是中央、地方、社会和企业不能很好地形成合力，致使中国在与周边国家的互联互通建设中的投入较为分散，实施和推进力度以及最终效果都会打折扣。

2. 东盟的内部挑战

对于互联互通的另一方东盟来说，中国是一个综合实力强于自己的大国，如何在这样的国际关系下，在互联互通倡议中找准自己的定位，使自己的利益最大化，是必须思考的问题。总体而言，互联互通给东盟带来的挑战大致为以下几个方面。

（1）东盟内部一体化程度不高。

2015年12月31日，东盟一体化进程全面进入东盟共同体阶段。但根据其制定的未来发展规划，部分目标事实上已经顺延至2015议程中持续推进，东盟共同体已经被东盟定义为一个进程性的目标，具体到经济共同体的建设情况，第27届东盟峰会的主席声明一改历届主席声明中明确完成比例的惯例，只用了接近完成蓝图规划这样的描述。不可否认，东盟的一体化建设确实有长足的进步，但是从总体上看，这个组织仍然比较松散，缺乏相对的约束机制；各国之间的关系也不够紧密，矛盾冲突并没有得到解决。而对于互联互通建设而言，由于很多项目涉及两国或者多个国家共同开发，这就需要国家之间进行紧密的合作。如果东盟各国一体化程度不高，又欠缺国家之间的协调机制，这在一定程度上必然会影响互联互通的推进，不利于"一带一路"

的建设。

（2）东盟各国发展不平衡。

东盟成员国中，既有经济发达的国家如新加坡，也有经济落后的国家如老挝；既有政局稳定的地带，也有政局动荡的区域。有些国家自然条件好，开发便利，合作前景大；也有国家自然条件恶劣，基础设施建设成本高，难度大。有些国家有完善的金融系统可以支撑基础设施建设所需要的资金融通，有先进的生产技术和丰富的管理经验可以保证项目的顺利进行；也有国家条件落后，资金不到位。由于项目涉及不止一个国家，可能会影响到整个互联互通建设的进度，阻碍统筹计划；随着项目的深入，差距甚至越拉越大，因此，这种区域间的不平衡带来的挑战不可忽视。

（3）部分东盟国家与中国互信不足。

中国—东盟互联互通项目顺利推进的根本因素就是政治上的互信。改革开放以来，中国经济高速发展，整体国力不断上升。面对中国的和平崛起，东盟国家心态复杂，对加强与中国的互联互通既有期盼，又迟疑不决。一方面，中国作为东盟的主要贸易伙伴和地区经济增长引擎，主导互联互通建设将为东盟国家的经济和社会发展提供巨大助推力。东盟国家普遍希望搭乘中国经济发展的顺风车，借与中国建设互联互通之机改善其国内的交通基础设施，扩大与中国的经贸往来，加速自身的整体发展。另一方面，东盟国家自身经济规模远逊中国，加之一些历史遗留问题和现实利益的纷争，对中国的实力上升，特别是互联互通建设的初衷，心存疑虑，战略互信不足。"中国威胁论"在个别东盟国家还有一定市场。如何消除东盟对中国的不信任感，如何使东盟相信中国和平崛起的发展理念，成为横亘在互联互通建设前的一道难题。

除此之外，中国和东盟对于互联互通的理解及其规划不一致、技术标准的差异等都是双方共同面临的挑战。东盟内部的互联互通规划只把昆明—新加坡铁路列为优先项目，而其他项目则没有涉及中国，对于广西大力推出的南宁—新加坡铁路项目，东盟方面感兴趣的似乎也只停留在基础项目阶段，而对中国提出的产业互联互通并未重视。然而，中国的互联互通是全方位的互联互通，基础设施只是互联互通的基础，最终实现产业、技术、人才的大流通才是目的。在技术层面，两方在很多方面也有差异。例如使用的铁路轨距，中国是 1.435 米的标准轨，而东南亚国家多为 1 米的窄轨，这就涉及修建铁路时的技术转换等问题。要让互联互通能够顺利进行，双方共同拟定一个详尽的、均能接受的规划至关重要。

（二）中国—东盟港口城市基础设施互联互通面临的外部挑战

中国与东盟的基础设施互联互通建设拥有巨大的市场。二者都是人口密集区，且东盟大部分区域基础设施建设落后，因此互联互通的前景非常广阔。但区域内的问题也遭到了区域外大国的干涉，"中国威胁论"一度甚嚣尘上，引起了东南亚一些民众对中国的抵触情绪，这就使互联互通建设面临来自外部的政治和经济两方面的挑战。

1. 多国竞争东盟基础设施建设市场

由于中国和东盟国家都人口密集，东盟的基础设施建设又相对落后，发展的空间很大，因此互联互通所指向的是一个巨大的市场。站在中国的角度考量，这样的市场必然会吸引来自区域内和区域外国家的竞争，如何与这些大国、强国竞争并且脱颖而出是互联互通建设的又一挑战。

（1）日本避免在亚洲"被边缘化"。

日本与中国作为亚洲最大的两个经济体，在经济领域既有合作更有竞争。近年来，中国的 GDP 超过日本，成为亚洲第一大经济体，而日本经济则多年不振，发展不见起色。因此面对东盟基础设施互联互通市场，日本除了在政治上干预外，经济上也同中国展开竞争，以避免其在亚洲被"边缘化"。20 世纪以来，日本一直以脱亚入欧为发展方向，然而地理位置的局限加上欧洲一体化程度逐渐加深，日本不仅没有成功"加入欧洲"，经济上与欧洲的贸易来往日益减少，经济影响力也大为下降。而在亚洲，特别是进入 21 世纪以来，中国和印度等发展中国家的经济迅速腾飞，亚洲逐渐成为世界经济最活跃的地带。在这样的情况下，日本已经逐渐意识到如果不积极参与到亚洲经济事务中，迟早会被亚洲经济体排斥在外。近年来，日本加强了与亚洲各国的经济合作，而东盟是其重要的一环，安倍的经济改革仍然深受老龄化等问题的困扰，扩大内需，促进投资、带动经济出现新的增长点成为日本的当务之急；而参与东盟基础设施互联互通建设恰好可以为日本打开一个需求的市场，其势必会与中国展开激烈的竞争。日本作为老牌的经济强国，对于企业"走出去"对外投资有着更加丰富的经验，国内的支持体系也更加完善，中国如何与其竞争也是一大难题。

（2）印度与东盟的"东向政策"。

印度作为亚洲主要大国和世界主要新兴经济体，20世纪90年代初实行"东向政策"以来，特别是近年来随着对东部最大邻国缅甸的政策，从"建设性接触"升级到"互联互通"战略新高度，明显加快了与东盟国家之间的"互联互通"战略步伐；力图通过物质基础设施建设、双边或多边国际机制平台和跨国人员交流三种途径，构建跨南亚和东南亚的新经济区，以此带动印度东北各邦的经济发展。与日本相比，印度在东盟有更大的地缘优势，因为除了海路连接，其与东盟国家缅甸有着长达1 643千米的陆上边界，双方进行互联互通的需求性更强，也更加便利。2001年，缅甸与印度两国就已经建好了一条全长160千米的友谊公路，连接了塔姆到卡勒瓦；2003年6月，印度提出了"新德里—河内铁路"计划；2005年启动了全长1 360千米的"印缅泰三国高速公路"项目。在印度政府的"十二五计划"（2012—2017年）中，构建东北内陆与缅甸的互联互通是重点发展内容。印度与东盟的互联互通已然开始，将来在这个领域中也会是中国不容忽视的竞争对手。

除了日本和印度以外，也有一些来自其他国家和地区的利益角逐。对于美国而言，中国与东盟的一体化可能会影响到美国在东南亚的跨国公司的利益；对于欧盟而言，中国—东盟基础设施互联互通会促进整个亚洲区域内贸易额的增加，从而并不利于欧洲的对外出口；对于能源大国俄罗斯和澳大利亚来说，其能源输出可能也会受到影响。因此，各国在东盟的利益角逐会更加激烈，中国所面临的竞争压力也会更大。

2. 资金支撑乏力

由于东盟各国经济实力不同且财力有限，资本市场发展滞后，融资比较困难，造成资金缺口大，很多规划因为建设资金不足无法实施。目前东盟进行基础设施建设主要依靠亚洲开发银行以及日本等国的优惠贷款或经济援助。基础设施互联互通必然需要大量的资金投入，需要政府部门支持，但私人投融资机构以及私人资本的参与也是至关重要的。互联互通项目普遍具有政府参与度高、建设周期长、投资大、融资难、回报率低等特征，导致民间资金参与互联互通建设的投资意愿不高。对私人投融资部门来说，缺乏足够的技术与财务信息来进行风险评估；对于私人资本来说，基础设施建设投入期限长、风险大，缺乏投资动力；对于政府来说，缺乏对私人资本参与的基础设施项目的支持，比如融资方案的制定，从而导致东盟国家进行基础设施建设的融资渠道单一化，增加了政府的压力和风险。

由于经济发展水平以及国内投资环境等因素不同，东盟各国的融资能力差距明显。巨额的资金缺口是中国—东盟互联互通建设必须解决的难题。近些年，中国基础设施投资中来自私人资本的投资不到0.03%，亚洲其他国家基础设施的私人投资仅为 0.2%。虽然中国在2011 年设立了 400 亿美元的丝路基金和中国—东盟投资合作基金，建立了中国—印尼海上合作基金等，但要支撑中国—东盟互联互通建设仍有巨大的资金缺口。双方应共同努力，多渠道解决建设发展基金，为中国—东盟基础设施互联互通搭建强有力的投融资平台。

3. 物流信息不畅通

中国与东盟国家的港口大部分物流水平仍比较低，只有新加坡、马来西亚、中国的信息通信技术使用范围相对较高，但其他东盟国家信息化水平低于世界平均水平，还处在使用电话、人工操作的阶段，物流信息化和标准化程度都不高，信息传递不通畅、不对称信息的存在等都严重制约了各国港口互联互通的水平。其次，很多东盟港口尚未与我国港口实现双向的信息交互，各港口节点还没有完全设立，信息管理系统还没有得到充分的应用。最后，中国与东盟各国还没有完全建设一个开放、共享的资源要素整合平台，尚未实现合作区域内各国物流数据的互通。因此，还需加强建立物流信息网络衔接，共建港口物流公共信息平台，共享商贸信息，提高服务信息化水平。

4. 技术支持落后

中国和东盟国家同属发展中国家，科学技术发展水平还较低。和世界先进国家相比，东盟在港口货物吞吐效率、海地勘探技术、运输设备、港口建设运营、人才培养等方面还存在一定的差距。当前物流标准化落后是制约中国—东盟港口物流业发展的瓶颈，造成了港口物流成本高、效率低下。柬埔寨、菲律宾和越南等国的港口建设落后，除了一些枢纽港的装载效率比较高，其他港口大多数效率低下，部分港口使用费和装卸费较高，大大削弱了港口的整体竞争力。目前双方还缺少为企业提供国内及东盟物流标准资讯和服务的物流标准信息平台。

具有不同基础设施水平的港口是否能够提供持续有效的服务成了港口面临的重大难题，例如货物的运输效率受不同港口货船的容量、货物的装卸能力、海关等一系列因素影响，东盟很多港口设备陈旧，难以提供高效的服务。基础设施建设中的勘测、设计、施工技术要求较高，目前 95%以上的海洋基础设施是钢结构和钢筋混凝土结构，这些设施要面对波浪、台风、海啸和海洋腐蚀，使得耐蚀材料开发及腐蚀防护面临严峻挑战，中国与东盟海洋基础设施防腐蚀技术还比较落后。目前海洋工程技术水平还较低，支持中国—东盟海上互联互通的技术问题基础不足，需要加快突破技术瓶颈。

二、中国—东盟港口城市产能合作瓶颈

《国务院关于推进国际产能和装备制造合作的指导意见》明确将钢铁、建材、有色、铁路、电力等产业作为国际产能合作及装备制造的重点领域，这些重点领域对东盟国家的基础设施建设及产业发展有着重要的推动作用，东盟国家也希望与中国就这些方面加强合作。中国

一东盟国际产能合作正在如火如荼地进行，至今取得了一定的成绩，但是也面临一些问题，这些问题既包含合作体制机制和服务体系不健全的制度方面，也有制度对接和技术兼容难度比较大的具体事项；既有企业国际化和现代化水平不够高等企业内部方面的问题，也有东盟国家的国情所决定的风险等外部方面的问题。

（一）合作体制机制及服务体系不健全

随着《国务院关于推进国际产能和装备制造合作的指导意见》（国发〔2015〕30号）《中国—东盟产能合作联合声明》的发布，中国与东盟国家国际产能合作进入新的阶段。中国与东盟国家产能合作既有中国方面的支持政策，也有东盟国家方面的支持政策，起主要联系作用的是东盟国家之间的联合声明、倡议等相关文件。2014年5月，国家发展改革委发布《境外投资项目核准和备案管理办法》，逐步放松了境外直接投资管理体制，除少数敏感投资国别、投资项目必须经过审批之外，其他境外投资一律实行备案制，并清理和取消了一批不合理的限制和收费。但是，有关中国—东盟产能合作的相关政策还停留在宏观层面，具体的合作体制机制和服务体系尚不健全。

（二）分工相近，产业竞争激烈

中国和东盟国家大多以劳动密集型产业为主，经济结构和产业结构也有很大的相似性。虽然在发展程度上，中国和东盟各国之间存在差异，但在国际产业分工体系上仍处于同一阶梯。中国和东盟的经济合作仍处于国家间的经济合作阶段，双方之间的深入的产业整合度依然较低。此外，中国和东盟国家出口产品和市场有一定的重叠性。出口产品中资源性初级产品和劳动密集型制成品比重较大，主要出口市场与国际直接投资的来源地也都是美国、日本、欧洲及新兴工业化国家和地区。在吸引外资上，中国和东盟也存在一定的竞争，目前中国—东盟双边贸易额占各自的贸易总额比重均较低，相互投资规模也较小，区域内经济增长缺乏本土动力，区域经济整合困难。

（三）合作水平较低

中国和东盟国家的经济和产业发展整体呈现不平衡和多层次性的特点，产业合作停留在起步阶段，更多的是表层的合作。东盟大部分国家都还处在工业化时期，农业占比大，没有明确的产业分工体系，工业发展以劳动密集型为主，因此，目前中国和东盟国家的产业合作是比较简单、起步阶段的合作。同时，由于中国和东盟国家发展存在多层次性，在产业合作上也存在一定的层次性。从东盟国家组成的角度来看，可以分为三个层次：第一层次为新加坡和文莱；第二层次为菲律宾、马来西亚、泰国和印度尼西亚；第三层次为柬埔寨、老挝、缅甸和越南。相对应地，中国经济经历 40 年的发展，形成东、中、西三个明显的梯级产业带，产业结构与发展水平差异明显。

（四）经济体制、政策上的障碍

大部分东南亚欠发达国家的发展受到体制、法律、信贷制度以及企业注册规定等方面极大的阻碍。东盟多数国家市场经济不发达，市场体系、市场机制构建不健全，政府管理市场经济的经验较缺乏，中国也存在类似问题。产业合作以市场合作、企业合作为核心，以政府合作为保障。中国和东盟部分国家早期实行计划经济，后来转向市场经济，发展模式各有不同。东盟国家整体上还处于市场经济建设的初级阶段，加上政治体制、宗教文化、民族矛盾等因素的影响，国家市场经济发展普遍存在政府对经济过渡干预、市场竞争不充分、透明度不高等问题。

东盟各国不仅经济发展水平相差较大，且与产能合作相关的法律、环保理念、劳工保护等领域措施差异也较大，除对特定产业的投资有限制外，还存在诸多投资壁垒。截至 2018 年底，东盟十国中仅有新加坡加入世界贸易组织的《政府采购协定》，其政府采购须受到《政府采购协定》的约束。但事实上，其他东盟国家对政府采购的限制同样存在，如涉及工程项目的采购，东盟部分国家政府明确规定关键零部件仍须选择本国产品；项目实施须对实施环境及社会影响评估，且须征求项目所在地社区的意见；在用工方面，东盟各国对加班、解雇员工的要求均较严格。上述投资壁垒对拟选择与东盟实施产能合作的中资企业，无疑会构成限制，轻则导致项目延误，重则给企业带来直接损失，企业处理不当，还可能危及国家形象。

三、中国—东盟港口城市贸易合作瓶颈

（一）货物贸易：增速放缓，不平衡持续，贸易摩擦时有发生

整体而言，中国—东盟双边货物贸易的增长速度逐步放缓，自 2012 年起一直低于中国—东盟自由贸易区（China-ASEAN Free Trade Area，CAFTA）构建以来 18%的年均增长率。2015 年，双边货物贸易更是同比增长-1.7%，为 2009 年全球金融危机爆发而出现负增长后的又一负增长；2016 年进一步下降，同比增长-4.1%。

即使按照中国海关的统计，中国对东盟的货物贸易也已在 2012 年由逆差转为顺差，贸易差额为 86.62 美元。随后中国对东盟贸易顺差大幅度增大，2013 年至 2017 年 5 月间，中国对东盟贸易顺差每年平均值为 537 亿美元，分别为 447.31 亿美元、632.91 亿美元、908.63 亿美元、683.07 亿美元、466.19 亿美元；而 2011 年中国对东盟的贸易还是逆差超过 220 亿美元，为 CAFTA 构建以来的最大逆差。对本就因统计方法差异而自认一直处于贸易逆差状态并常常纠结于此的东盟经济体而言，中国统计数据所显示的双方贸易不平衡在方向上的反转对其现实及心理的冲击可想而知。东盟成员国对 CAFTA 深化与拓展一直存在的复杂而矛盾的心态可谓有增无减。

除整体上的不平衡之外，中国与东盟的贸易不平衡还体现在：双方的贸易集中于越南、马来西亚、新加坡、泰国、印度尼西亚、菲律宾，中国的货物贸易顺差主要由越南和新加坡所贡献，而逆差通常来自马来西亚和泰国。尤其需要强调的有三点：一是中越货物贸易发展快速，越南已经由 2002 年中国在东盟的第六大货物贸易伙伴提升为 2015 年的第二大贸易伙伴，并在 2016 年超越马来西亚跻身首位；中国

对越南的货物贸易处于持续上升的顺差状态，2015 年已占到当年中国对东盟货物贸易顺差的 43.8%，2014 年更是高达 69%；二是中国对印度尼西亚、菲律宾、泰国的货物贸易分别在 2012 年、2013 年、2015 年由逆差转为顺差；三是中国对马来西亚的货物贸易逆差额自 2011 年以来也正在呈现逐步缩小的态势。东盟经济体对包括"经济威胁论"在内的中国经济发展的疑虑和对 CAFTA 深化与拓展的积极性，也因此呈现出相对不同的心态和程度。

自 2010 年 CAFTA 正式建立以来，据不完全统计，已有印度尼西亚、菲律宾、泰国、越南、马来西亚 5 个同盟成员对中国发起反倾销和保障措施调查；采取贸易救济措施最为频繁的是印度尼西亚和泰国，其次为马来西亚、越南、菲律宾。中国钢材类产品是遭受东盟贸易救济措施的"重灾区"，仅越南 2016 年前 10 个月就发起 3 起。

（二）贸易便利化：非关税壁垒有待进一步拆除，规则利用率急需进一步提高

随着关税减让的空间日渐缩小，贸易便利化对国际贸易的促进作用愈加明显。2015 年 10 月 WTO 的《世界贸易报告》显示，《贸易便利化协定》的实施将使全球货物贸易出口每年最多增加 1 万亿美元。仅简化贸易单证、完善通关流程、自动化通关 3 项措施叠加，就可节省 2.8%～4.2%的交易成本。

根据世界经济论坛和全球贸易便利化联盟发布《2016 年全球贸易促进报告》，在美欧市场萎缩之时，东盟地区的货物贸易市场开放程度已超越欧盟和美国；中国是全球 10 个人口最多经济体中唯一进入"贸易促进指数"排名前半段的国家。尽管如此，就目前而言，双方的贸易便利化还是处在相对较低的水平。世界银行发布的《营商环境报告 2017》显示，除"营商环境"排名本就相对落后的缅甸、老挝、柬埔寨、菲律宾外，东盟其他经济体和中国的"跨国贸易便利化程度"排名均落后于自身整体的营商环境。从工商界关注的通关效率、基础设施、跨境贸易等方面入手的中国—东盟贸易便利化研究于 2015 年 9 月在中国—东盟商务与投资峰会正式启动；并在 2016 年 9 月正式发布《中

国—东盟（柬、老、缅、越）贸易便利化研究报告》，就通关环境、规制环境、口岸效率、电子商务、商务人员流动五个方面提出有效改进的领域和具体建议。

（三）服务贸易：限制多，潜力有待释放

服务贸易在国际贸易中的地位和作用逐步提升。无论中国还是东盟成员国，随着自身经济发展水平的不断提高和对外贸易规模的日益扩大，服务贸易的发展不但能够对自身产业结构的转型升级起到重要的支撑作用，而且会为自身对外贸易的持续增长注入崭新而强劲的动力。世界银行发布的"服务贸易限制性指数"（Services Trade Restrictiveness Index，STRI）显示，中国和印度尼西亚、马来西亚、菲律宾、泰国、越南的 STRI 即服务贸易壁垒均处于相对较高的水平，服务贸易潜力的释放需要服务业开放程度的进一步提高。

（四）贸易竞争性：结构同构，深化和拓展的内部驱动力 尚待加强

CAFTA 的大多数经济体，无论资源禀赋还是发展水平均具一定的相似性。在以外商直接投资为载体的产业转移的进一步推动下，产业同构及其引发的区域内外的竞争始终在一定程度上困扰着中国和东盟及其成员国。而 2008 年全球金融危机爆发后，欧美市场的相应萎缩和世界经济的持续低迷，尤其是中国劳动力成本的不断上升，使这一本就存在的问题进一步凸显。2015 年，美国、欧盟既是中国的第一、第二大出口市场，也是东盟除内部贸易外仅次于中国的第二、第三大出口市场，两者合计分别占有中国 33.6%、东盟 21.7% 的出口份额。

四、中国—东盟港口城市人文科技交流与合作 存在的问题

近年来，中国与东盟的文化与科技交流合作取得了丰硕的成果，

但受国际和东盟各国国内因素的影响，双方人文科技交流合作仍存在如下问题：

（一）文化交流不均衡现象较突出

由于东盟各国与中国发展合作关系时的侧重点不同，加之受国家关系、历史因素及领导人因素的影响，中国与东盟文化交流合作中的不均衡现象明显。经济基础相对薄弱的国家，如越南、老挝、柬埔寨、缅甸等 4 国与中国发展合作关系时注重经济合作，文化交流处于次要地位；经济基础较好的国家，如新加坡、泰国、马来西亚等在同中国发展经济关系的同时也积极展开文化的交流与合作。

中国与东盟文化交流合作的不均衡现象存在于教育、旅游和文化活动等多方面。中国在东盟国家设置孔子学院和孔子学堂，泰国开设的孔子学院和孔子学堂共有 27 个；印度尼西亚共设置有 8 个；文莱尚未设立孔子学院和孔子学堂。

（二）合作交流层次待提升

人文交流合作的高层次目标是提升国家软实力，服务于国家外交大格局，这需要一套完整的文化对外交流合作体系。我国对东盟的文化交流合作更多地是针对普通民众，没有上升到取得文化交流合作影响力的层面。另外，我国并未制定完整的文化对外交流合作体系，也没有以提升文化交流合作政治影响力为目标的专门规划和行动方案。中国与东盟国家的文化交流合作层次仍较低，主要停留在面向东盟大众的基础教育、高等教育及人员的往来，没有上升到文化外交的层面。从纵向来看，双方的交流深度还需继续推进。这一方面是由于中国及东盟各国的文化需求仍不够大，文化环境未完全形成，文化市场也不够成熟，文化消费还处于较低的水平。另一方面，中国与东盟各国的文化生产力还比较弱，文化资源尚未完全开发，文化产品的生产还不够充分，文化服务的提供还不到位。中国—东盟文化交流与合作尚需要更多的文化交流机制与平台。

（三）合作交流机制亟待完善

虽然中国与东盟各国对外文化交流中都制定了本国的一些交流制度与政策，但各国都只是根据本国的特别需要而单方面制定的，没有充分考虑到不同国家的民族文化和价值观念不尽相同，甚至有可能存在冲突。因此各国单方面制定的文化交流制度或政策在具体实施过程中会遇到相互排斥、相互矛盾等问题。这些问题将影响到文化交流活动的顺利开展以及进一步的深入与开拓。这就是所谓的"制度性障碍"，它有待我们从更为宏观和全局的角度，重新制定更为确切、系统、规范的中国—东盟文化制度与政策。

（四）文化认同感有待进一步增强

新加坡、越南、泰国、马来西亚和印度尼西亚等华人数量较多的东盟国家仍保留着诸多儒家文化传统。汉语和汉字在东盟的广泛使用，持续推动汉文化在东南亚的有效传播和推广。佛教在缅甸、老挝、泰国、越南、柬埔寨等国的盛行成为连接中国和东盟的另一个文化纽带。共同开展佛学研究也成为双交流合作的领域之一。另外，相同文化孕育"同根性"民俗和节日习俗。这些文化的同源性和一脉相承的文化延续不断加固双方教育、文化等的合作基础。

中国和东盟之间相似文化基因并存是多文化的共同作用，除儒家文化外，阿拉伯文化、西方文化都曾对东盟国家产生不同程度的影响，大多数东盟国家曾受殖民统治，宗主国的政治经济尤其是文化烙印未完全消除。佛教在东盟盛行，但其宗教也体现出多元的特点，如马来西亚、印度尼西亚和文莱是传统的伊斯兰教国家，菲律宾民众信仰天主教居多，宗教信仰差异较大，且相互影响。另外，东盟部分国家对我国和平发展的误解也映射出其对中国文化特别是儒家和谐文化缺乏全面认识。文化差异性的存在或多或少会给中国与东盟国家间的文化交流带来一些影响。因为人们都会比较维护本国文化，而不能很好地理解、接受和认同异质文化，因此有必要进一步加强文化认同感，实现不同国家和民族之间的文化融通。

第二节　中国—东盟港口城市合作的建议

一、推进中国—东盟港口城市基础设施互联互通的政策建议

（一）增强中国与东盟的战略互信

在合作倡议的设计上，我国在近年来一直走在各国之前。但由于中国与东盟之间战略互信不足，一些合作倡议受到东盟国家政府或民间组织的质疑，导致具体的合作项目难以落实，所以我国需要致力于增强中国与东盟的战略互信。

1. 需要将基础设施互联互通规划与各国充分协商

我国的"一路一带"等倡议已经充分考虑了东盟各国的利益，但是问题犹存：一方面我国的各种合作倡议尚未与东盟各国充分交流与协商，使得东盟各国对我国的倡议仍抱有疑虑，并且设想中的利益让渡与东盟各国提出的利益要求也有差异；另一方面新的合作倡议与原有的合作倡议（如泛北部湾合作）、相关合作机制（如海湾国家合作委员会）仍需协调，尤其是我方的构想仍需要以东盟各国熟悉的语言进行充分交流。因此在深化中国—东盟基础设施互联互通路径设计的过程中，首要的一点便是与东盟充分的沟通和协商，尤其要阐明中国与东盟的合作不是"以邻为壑"式的产业转移，而是发挥我国与东盟国家的比较优势，并最终形成对亚洲之外经济体的竞争优势。

2. 做大做强中国—东盟自贸区的升级

目前，中国—东盟自贸区面临"东盟向中国投资多，中国向东盟投资少"、敏感商品关税等冲突，这些冲突只有在做大中国—东盟自贸

区升级"蛋糕",实现中国与东盟合作收益大幅增加之后才能得到动态解决。因此在基础设施互联互通路径的设计中,要以长期可持续的经济增长为基本目标,注重以基础设施建设推动各国经济发展与产业升级。

3. 对区域外和区域内大国采取不同的态度

中国—东盟基础设施互联互通建设难以将区域内大国和区域外大国完全排除在外,但对于二者要采取不同的态度。对于区域外大国,由于它们在中国—东盟基础设施互联互通建设中很少获得利益,因此在进行基础设施互联互通统筹时应当尽可能将其排除在外,以避免基础设施互联互通统筹陷入无休止的争论之中。对于区域内大国,基础设施互联互通建设能为其带来一定收益,我国可以在适当的项目上与之合作,以推动中国—东盟基础设施互联互通建设的局部突破。

(二)注重中国与东盟的产业对接

基础设施与产业转型关系密切,这就要求基础设施互联互通要建立在中国与东盟的产业协调与分工之上,实现中国与东盟的产业对接。

1. 根据国别和产业进行结构化的设计

东盟各国内部的情况差异较大,需要进行细分。相对而言,老东盟国家与我国产业同质化较高,难以推动国家之间的产业分工,而新东盟国家的产业体系仍在逐渐形成的过程中,国家之间的产业分工更易于开展。同时要考虑各国对各类产业接受程度的差异,产业转移上要以越南、老挝、柬埔寨、缅甸等新东盟国家为主,兼顾各国对各类产业转移的接受程度,优先发展低敏感领域的经济合作。

2. 提升我国自身的产业布局能力

目前,如果对东盟的产业结构进行调整和再升级,中国并没有足够的主导能力。这就要求我们将互联互通规划与我国的产业升级相联系,立足我国产业升级的方向来设计基础设施互联互通路径。为提高我国的产业布局能力，我国政府要注重对国内企业的统筹：首先是克服在境外建设基础设施主要以工程承包为主的局面，注重企业的投资跟进和后续管理，并在投资理念和国家层面上予以支持；同时要注意运力的规划（交通）和运量的规划（产业）相结合，使基础设施的互联互通与产业发展和产业链的衔接相适应。

3. 重视软性的互联互通

在交通等设施的建设外，注重中国与东盟的标准、流程、边检等的软件连通，注重文化、创新等产业的对接，注重法律法规协调，并通过人员培训等方式加强中国与东盟专业技术服务业上的一致性。

（三）控制基础设施互联互通的融资风险

中国—东盟基础设施互联互通的资金庞大、风险较高，并非某个国家可以单独承担。长期来看，中国—东盟基础设施互联互通需要在多个国家进行融资和分散风险，并且面临多个国家的金融监管，从而需要中国与东盟融资机制上进行协调，以控制基础设施互联互通的风险。

1. 各国的金融监管需协调一致

中国与东盟各国的金融监管机制并不一致，在基础设施互联互通领域，各国需要开辟金融监管上的"特区"，减弱基础设施互联互通融资上的金融管制，使得基础设施互联互通可以采取更加灵活的融资模式，利用更多的融资地点，采用更多的融资渠道。

2. 避免风险在局部区域的集中

中国与东盟各国之间，东盟各国内部之间的经济发展水平差异较大，这使得基础设施的互联互通带有一定的援助性质。一些经济发展水平较高的国家和地区将被贴上"援助者"的标签，成为主要的融资来源方，并因基础设施的互联互通而承担过高的风险。因此基础设施互联互通需要大量采用结构化的融资方式，保证"援助者"的资本投资有优先的受益权，避免基础设施融资风险向经济较发达国家或地区过度集中。

3. 避免国家信用的过度使用

在目前的基础设施互联互通建设中，政策性金融机构起到重要作用。但是，考虑到政策性金融机构得到政府大量的担保，而国家信用不应当外溢到基础设施互联互通所涉及的其他国家，所以政策性金融机构需要逐步淡出基础设施互联互通融资，或是与各国政策性金融机构联合，通过跨国的区域性金融机构有限参与融资过程。同时，应尽可能采取商业化的融资方式，并做好基础设施互联互通融资与国内业务的风险隔离，以避免各国的国家信用被过度运用在基础设施互联互通领域。

（四）加强政府间的互动与对话，促进民间交流

制约中国与东盟关系发展最关键的因素就是战略互信问题。在加快推进中国与东盟互联互通的过程中，中国与东盟国家都要持更加开放的政策，都要相互学习和妥协，以促进双边社会、人文交流，提高区域一体化程度，并以和平沟通和协商的方式避免发生冲突。中国与东盟国家一衣带水，自古以来就有着频繁的贸易往来，东盟国家中更有许多国民是华人或者华裔。然而，由于存在争议和所谓的"中国威胁论"，中国与东盟部门国家的关系一度趋于冷淡，导致中国与东盟的合作也受到影响。因此中国应积极主动地加强与东盟各国政府间的政治互动和对话，坚持"合作共赢"的态度，通过与东盟国家间互利互惠的经济合作来消除所谓的"中国威胁论"，用实际行动证明中国的和平崛起不会对周边国家造成威胁。其次，基础设施的互联互通需要各方的协调一致，中国政府应从各个层面加强与东盟国家间的沟通机制建设，从而在遇到问题时能够通过及时的沟通和协调促进问题的解决。除此之外，基础设施的互联互通建设将大大促进中国与东盟各国间的人文交流，而人文交流的加深将有助于从根本上增进中国与东盟之间的友谊，从而又反过来促进基础设施的互联互通建设。中国可与东盟国家通过如互派学生交流、合作举办论坛等方式进一步加深民间交流。

（五）注意地方政府和中央政府的工作分配，发挥地方政府的能动性

首先，中央政府的核心工作应是顶层设计和整体布局，因此应多从战略高度出发，与东盟各国政府就减少贸易壁垒、完善沟通机制等国家层面的事务进行协商。而地方政府的主要任务应是保障具体项目的顺利实施，因而应着眼于项目的具体事务，如调配工作人员、注意保护项目实施地环境及处理好与当地人民的关系等。其次，中国的政府组织结构决定了地方政府的财政自由度较低，从而限制了地方政府能动性的充分发挥。中央政府应适当将权力下放，让地方政府在具体项目工作中有更多的自由，这样不仅可以让地方政府根据自身的条件因地制宜，也可以减少中央政府的工作负担，将更多的精力集中在与东盟国家中央政府的合作沟通上。再次，中央政府应注意调节各个地方政府间的合作与竞争。地方政府间适当的竞争有利于提高地方政府的工作效率和积极性，但如果竞争过度，则会导致项目的盲目实施和资源的浪费。最后，建立健全"国家对国家""区域对区域""城市对城市"的多层次、全方位的沟通合作机制。积极引导各省份、各城市走出国门，与东盟国家的省份、城市建设"友好省份"和"友好城市"，促进中国与东盟各级政府间的交流与合作。

（六）做好项目的前期审核和评估工作

由于基础设施项目的建设周期和成本回收期长，且受东道国政策影响大，其风险要高于一般项目，因此项目的前期审核和评估工作就显得尤为重要。政府和企业应在项目实施之前，对当地能影响到项目实施的相关法律政策进行全面的考察，评估项目的风险，然后再决定是否实施项目。此外，基础设施建设不可避免会对当地民众的生活产生巨大影响，中国企业在进行基础设施建设的过程中，可以雇佣当地居民，在为当地政府和民众解决就业问题的同时，有助于树立中国企业的良好形象，保障项目的顺利实施。

二、中国—东盟港口城市产能合作建议

中国—东盟国际产能合作既包含体制机制宏观方面的问题，也存在服务体系微观方面的问题；既存在产业层面的内在问题，也存在合作环境的外在问题。推进中国—东盟港口城市产能合作应在机制、服务、制度、产业和环境等层面进行努力。

（一）理顺中国—东盟国际产能合作体制机制

理顺中国—东盟国际产能合作体制与现有体制机制的关系，既坚持立足于现有体制机制，又不能局限于现有合作体制机制。中国与东盟国家建立对话关系已经形成了"10+1""10+3"乃至"10+6""10+8"等多种高端合作机制，产能合作应立足于这些高端合作机制。考虑到产能合作将成为中国与东盟国家未来一段时间的合作重点，应形成专门的中国—东盟国际产能合作机制，确立中国—东盟国际产能合作的体制机制，重点确立产能合作对话机制、产能合作协调机制、产能合作纠纷处理机制、产能合作服务机制。

按照《中国—东盟产能合作联合声明》的有关精神，确定中国—东盟开展国际产能合作应重点理顺哪些领域的体制机制，在比较优势领域开展产能合作。对于东盟国家来说，中国在高铁、房地产、钢铁等领域具有一定的优势，应充分结合比较优势产业领域的特点，形成符合各产业领域发展规律的合作体制机制。

（二）强化中国—东盟产能合作服务体系建设

东盟十国国情相对复杂，产能合作又涉及多个领域，服务体系是否健全是推进中国—东盟开展产能合作的重要基础所在。从中国与东盟国家开展产能合作的服务体系来看，应进一步强化商务服务体系、金融服务体系和信息服务体系。

简化商务手续，激励更多的中国企业走向东盟国家，同时引进东盟国家的优势产能。需要注意的是，这里所说的简化商务手续并不是

降低商务标准。

在"一带一路"大背景下强化金融服务体系。中国相继设立了亚洲基础设施投资银行和丝路基金，产能合作应考虑设立中国—东盟国际产能合作基金，为推进产能合作打下坚实的金融基础。

强化信息服务体系。全球目前已进入大数据时代，我国的大数据建设正如火如荼地进行，中国应抓紧建立和完善中国—东盟产能合作数据库，充分发挥数据库统计、监测、投资分析等功能，不断推进中国同东盟国家产能合作的可持续发展。

（三）完善中国—东盟产能合作制度对接

东盟国家国情各异，实现制度对接是有效推进中国—东盟国际产能合作的前提。第一，完善法制层面的对接，加快区域协同法律机制的构建。东盟各国对国外投资的法律规定不一，如新加坡鼓励国外投资，而柬埔寨、印度尼西亚则对国外投资做了一些限制性规定。第二，完善规章层面的对接。东盟国家对部分具体的行业做了禁止性规定，如文莱明确规定不对外资开放林业，柬埔寨禁止在神经及麻醉产品、农药及相关产品、有毒化学品、森林开放等行业的投资，印度尼西亚明确规定受保护鱼类捕捞业、珊瑚相关建筑材料、相关化学产业、通信行业、相关文化产业等 25 个行业属于禁止投资行业。第三，完善技术标准层面的对接。东盟国家大都实行的是欧洲技术标准，尤其表现在电力、交通等基础设施领域，这对我国高铁、电力等领域的产能合作极为不利，需要进一步完善技术标准层面的对接。我国应系统研究东盟国家产能合作的相关制度，重点梳理制度区别和对接难点，选择重点合作领域进行深入研究，在中国—东盟合作大框架下研究制度对接的对策，根据产能合作实践情况制定中国—东盟产能合作技术标准。

（四）实现中国—东盟产能合作产能互补

中国同东盟国家开展产能合作既不是纯粹的边际产业转移，也不是纯粹的过剩产能转移，更不是低层次的劣势产能输出，而是产能互补，这种产能合作对双方都是有利的。第一，中国优势产能与东盟国家的合作是产能合作的主要类型。第二，在中国属于一般产能或过剩产能，在东盟国家属于优势产能的合作，如钢铁、水泥等。第三，东盟国家优势产能与中国的合作，如新加坡的金融、泰国的橡胶等。第四，在东盟国家属于一般产能或过剩产能，但是在中国属于优势产能的合作，如水果业、棕榈油等。

为了实现中国—东盟产能互补、发挥产能合作的最大效益，一要坚持国别区分战略，根据各个行业把东盟国家分成几个合作等级；二要坚持优势产业优先发展战略，按照中国产业优势、产业调整思路及东盟国家对产业的鼓励程度，设立产业优先发展等级；三是坚持产业梯队战略，既要立足于现有产业，也要在合作中培育新兴产业。

（五）优化中国—东盟产能合作国际环境

中国应积极营造良好的国内和国际环境氛围，在国际战略全局中谋求合作：对内应大力支持各类企业走向东盟国家，不断提高服务水平，为走出去的企业创造良好的制度环境和舆论环境；对外应坚持正确的舆论导向，明确并大力宣传中国—东盟国际产能合作坚持的是产能互补，而不是边际产业转移或过剩产能转移。

中国应充分利用中国—东盟自由贸易区、中国—东盟博览会等合作机制和合作平台，积极维护和协调与东盟国家的关系，积极创造良好的合作环境，倡议东盟国家积极参与到产能合作中来，积极发挥产能合作的主导作用。

中国应加强对投资东盟国家的企业的管理与服务，既要注重企业的经济效益，也要注重企业的社会效益，引导投资东盟国家的企业注重与当地政府、群众的互动，力争影响力的扩散范围与企业投资范围同步。

中国应坚持求同存异的交流原则，不断加强与东盟国家间的文化交流。国家之间的文化差异对基础设施建设、技术合作等其他领域的产能合作同样也有着重要的影响，应通过各种方式的文化交流不断为中国与东盟国家合作创造良好的文化和社会环境。

三、中国—东盟港口城市贸易交流合作的建议

针对中国—东盟港口城市贸易合作现存的问题，中国和东盟可从以下四个方面着手采取措施改善现状，以促进中国—东盟的"一带一路"经贸合作。

（一）增强双方互信，推动战略对接

中国和东盟增强对彼此的理解和信任是推进中国与东盟经贸合作的前提。一方面，中国政府要加强和东盟国家政府的沟通。双方可本着求同存异的思想，通过领导人互访、政府部门间的定期交流等途径开展交流对话，以达成更多共识。在争议性问题上，双方要坚持通过沟通和谈判妥善处理分歧，力争不让局部矛盾影响经贸合作的大局。另一方面，双方要加强人文交流，在民众层面增进对对方的了解。中国要加强对"一带一路"倡议的宣传，要向东盟表明"一带一路"倡议主要是经济倡议而不是战略企图，强调"一带一路"倡议并不是中国扩张战略腹地和势力范围的途径，而是加强双方经贸合作的重大机遇，等等，以减轻东盟方对中方的误解。

结合当前情况，中国要积极推动"一带一路"倡议同东盟整体及东盟各国发展战略的对接，找到更多的利益交汇点，为具体领域的合作奠定基础。在其他领域，双方也有必要加强合作意识，制定具体合作方案。比如，面对东南亚日益严峻的安全形势，中国可寻求同东盟建立反恐长效合作专门委员会等机构，以应对恐怖主义等日益猖獗的安全威胁，维护东南亚地区的和平与稳定，为未来的合作营造良好的环境。

（二）优化双方贸易结构，防范投资风险

要想优化中国—东盟间的贸易结构，双方可采取的措施包括：继续推进产业结构转型，培养新的比较优势；鼓励技术创新，提高产品的核心竞争力，使双方贸易更多地从相互竞争转为合作，突破当前发展的瓶颈；充分利用中国—东盟博览会的平台，加强双方企业之间的

交流，推销各自的优势产品，借此扩大进出口等。

此外，在东盟各国开展投资、贸易、承包工程和劳务合作的过程中，中方应在事前调查、分析、评估相关风险，事中做好风险规避和管理工作，具体包括：对项目或贸易客户及相关方的资信调查和评估；对投资或承包工程国家的政治风险和商业风险的分析和规避；对项目本身实施的可行性分析等，以切实保障自身利益。在开拓东盟市场的同时，中国企业也要承担必要的社会责任，具体包括严格遵守东道国当地的法律法规、尊重东南亚当地的宗教习惯和风俗习惯、注意保护环境等。

（三）构建多元融资渠道，协调统一标准制度

中国和东盟目前可通过以下三种融资渠道来缓解基建过程中面临的资金压力：充分利用中国—东盟投资合作基金、中国—东盟海上合作基金、亚投行等专项基金；通过发行股票、企业债券等形式进行融资，稳步加大融资合作安排；尊重市场化原则，通过 BOT、PPP 等投资和建营相结合的模式支持重大项目的实施。

此外，技术的革新是解决标准差异的一种方法。例如，针对中国和东盟面临的铁路轨距标准差异，中国当前正在进行的一项名为"变轨距转向架"技术的研究就能发挥作用，它可以用来调整车轮以适应各国不同的铁路轨距，该技术若能在东盟推广，相信会对中国和东盟之间的铁路运输便利化有较大帮助。同时，中国和东盟应当协调和统一各类规章制度，具体措施包括：加强信息互认、监管互认合作，签订技术标准及证书的互认协议和跨境运输协定；加强技术标准、运行规则的对接和共建，为互联互通的有效运行提供必要的制度支撑等。

（四）建立制度性联系，深化金融监管合作

针对中国与东盟金融合作中存在的国别不平衡现象，中国要争取与之前合作较少的东盟国家开展金融合作，例如，商签本币结算协议，考虑为有需要的国家建立人民币清算行。政策的支持可以为金融合作

创造便利的条件。要通过中国—东盟央行行长对话机制、中国—东盟银联体等渠道，在双方之间建立制度性金融联系。

考虑到中国与东盟金融监管合作中存在的短板，双方要进一步深化区域金融监管合作。具体包括：各监管当局要加强沟通协调，扩大信息共享范围，加强在重大问题上的政策协调和监管一致性，建立管控跨境资本流动风险的监测预警机制，完善防范系统性风险和危机应急处置的多边制度安排等。

（五）打造中国—东盟自贸区升级版

2014 年 4 月，中国—东盟自贸区中国—东盟自由贸易协定联合委员会对启动升级谈判的各项准备工作进行重点讨论；8 月，通过自由贸易协定（Free Trade Agreement，FTA）升级谈判要素文件；9 月，展开第一轮谈判。2015 年又进行三轮谈判。7 个工作组会议就货物和服务贸易、投资和经济技术合作等展开全面磋商，并在原产地规则、海关程序与贸易便利化等具体领域深入交换意见，最终就丰富、完善和补充既有协议达成一致，如期于 2015 年 11 月签署升级相关议定书——《中国与东盟关于修订〈中国—东盟全面经济合作框架协议〉及项下部分协议的议定书》；2016 年 7 月，升级相关议定书正式生效。其落地实施速度之快也从一个侧面反映出，其顺应区域经济一体化发展的时代潮流。中国—东盟 FTA，不仅是双方第一个对外商签的 FTA，还是东亚"10+1"合作模式的开创者。无论对中国而言还是对东盟来讲，通过升级中国—东盟 FTA 更为充分地发挥其本应具有的促进作用和示范效应，都是自身尽可能抢占先机、积极主动谋求国际贸易规则，尤其是巩固东亚区域一体化既有话语权的最佳选择。随着中国—东盟 FTA 的建设和各自对外开放进程的推进、经济发展水平的提高，双方的贸易开放能力同框架协议商签之时已不可同日而语。东盟经济共同体于 2015 年 12 月 31 日宣布建成，中国的自由贸易试验区逐步拓展，相关改革日益深化，双方均已具备进一步拆除非关税壁垒、提升贸易投资便利化的基本条件和相应能力。由相对简单的量的扩张到更为复杂的质的提升，中国—东盟 FTA 升级成为双方共同的利益诉求和必然选择。

（六）共建"21世纪海上丝绸之路"与中国—东盟双边贸易

以政策沟通、设施联通、贸易畅通、资金融通等为合作重点的"21世纪海上丝绸之路"建设，之所以能够为中国—东盟双边贸易的深化与拓展注入新动力，一方面在于其可以使双方的经贸联系更为密切，互联互通的基础性作用得以更好地发挥；另一方面则因为其能够使双方的市场机遇更为广阔，各自内部及整体市场得以更好整合，从而相对有效地突破经贸合作瓶颈，促进贸易结构的进一步升级、贸易效应的进一步释放，全面提升双边贸易的水平和层次。

东南亚国家对待共建"21世纪海上丝绸之路"的态度和参与程度都有差异。东盟的5个"10+1"FTA伙伴，无论日本还是韩国，抑或澳大利亚、印度，都在推进与东南亚地区的经济合作之时采取了双边、多边双管齐下的策略；截至2009年底，日本与东盟老6国和越南的EPA已全部生效。即使欧盟也在与东盟的FTA谈判中止后，随即展开与其成员国新加坡、马来西亚、泰国、越南的FTA谈判，力求以双边促进多边。而中国截至2018年仅同新加坡构建了双边FTA。事实上，马来西亚贸工部第二部长2016年11月明确表示，希望探讨与中国签署FTA协定的可能性，并以此努力开拓新的合作领域，推动双边贸易的进一步扩大。与东南亚区域共建"21世纪海上丝绸之路"的支点国家，如马来西亚、印度尼西亚、泰国，分别构建双边FTA，既可借此细分东盟成员国的利益诉求和关注点，也能使中国在东盟的政策选择空间和灵活性相应扩大，通过更具针对性的多层次互动合作，充分发挥"以点带线、以线带面"的示范作用和腹地效应。

四、中国—东盟港口城市人文与科技合作建议

为了进一步深化中国与东盟的合作，我们应不断推进多渠道、多形式、多层次的文化和科技交流，增强中华文化在世界上的感召力和影响力。

（一）交流合作的主体上，充分发挥政府、人民团体、社会自治和民间力量的合力

人民团体、社会组织和民间力量开展对外文化交流的形式更多样灵活，影响更深远持久。在尊重文化统一和多样性的基础上，中国与东盟各国的文化交流不仅共生包容，而且是民间文化和政府文化交流交叉互补的漫长过程。因此，开展对外交流是一个综合性的系统工程，既需要通过官方渠道，由政府部门主导推动，也需要通过民间渠道，由人民团体、社会组织和民间力量共同承担起文化交流的任务，成为新时期对外交流的承载者与发扬者。

（二）交流合作的理念上，重点突出和强化主流文化，引导整合非主流文化

在经济全球化与多元文化背景下，中国与东盟国家在文化、教育、传媒、旅游等方面的交流不断增多。一方面应当坚持理性和宽容的态度，通过积极培育和践行中国主流文化价值观来展示中华文化的独特魅力和无限活力，以加强对东盟各国的文化适应力和创造力；另一方面，在复杂的文化体系中，我们必须科学借鉴和吸收东盟国家和民族的优秀文化，以本国的主流文化价值观引导和整合非主流文化发展，形成以主流文化为核心和主导的多元文化格局。

（三）交流合作的载体上，加强文化产业项目合作，形成文化交流的产业链

在中国与东盟国家的文化交流与合作中，既要充分发挥不同艺术门类的优势和作用，又要统筹规划，整合资源，形成文化交流的产业链。因此，应进一步开拓国际和国内两个市场，加大独具特色的优秀文化项目的对外交流力度，通过打造文化产业项目策划、文化产业经营管理和文化产业中介服务等，壮大艺术演出业、新闻出版业、广播

影视业、动漫产业和其他新兴产业，提升我国文化产业的自主创新能力和产业化市场化程度，扩大与东盟各国的文化交流与文化贸易。

（四）科技合作的平台上，协同构建科技创新共同体

在"一带一路"建设深入推进的大背景下，中国—东盟区域科技合作面临前所未有的机遇。双方应进一步加强科技平台建设、拓展科技人文交流、打造海洋科技合作新亮点等，积极探索建设科技合作新模式，打造中国—东盟科技创新共同体，推动中国与东盟科技创新合作拾级而上，实现区域科技伙伴关系提质升级。未来，中国与东盟科技合作的重点领域将集中在以下几个方面：

（1）积极支持企业间技术创新合作，通过中国—东盟技术转移中心的创新合作平台，为企业间技术合作开辟绿色通道。

（2）加强科技平台建设，建设多国共同参与的中国—东盟联合实验室，开展关键技术研发攻关。

（3）大力拓展科技人文交流。

（4）打造海洋科技合作新亮点，进一步推动中国—东盟海洋合作中心建设，驱动建设中国—东盟海水养殖联合研究和示范推广中心。

参考文献

［1］ 陈德钦，尹继林．中国—东盟传统体育文化比较研究[J]．体育文
　　　化导刊，2017（07）：89-94．

［2］ 申雪凤．中国文化形象在东盟国家的传播认知分析[J]．广西社会
　　　科学，2018（12）：68-71．

［3］ 陆建人，蔡琦．中国—东盟人文交流：成果、问题与建议[J]．创
　　　新，2019（2）：45-54．

［4］ 俞懿春．人文交流交流合作正成为中国—东盟关系新支柱[N]．
　　　人民日报，2016-08-03．

［5］ 泰勒．原始文化[M]．蔡江浓，编译．杭州：浙江人民出版社，1988．

［6］ 马林诺夫斯基．文化论[M]．费孝通，译．北京：商务印书馆，1946．

［7］ 李世华．推进"一带一路"背景下中外企业文化融合[J]．企业文
　　　明，2016（01）：41-43．

［8］ 杨伟．现代化港口城市港城关系的建设[J]．经济地理，2008（2）：
　　　209-213．

［9］ 沈俊宇，吴文清，高锟．中西文化融通的典范[J]．科学文化评论，
　　　2019，16（01）：89-100．

［10］ 谢欣然．丝路审美文化融通的空间策略研究[J]．人民论坛·学术
　　　前沿，2019（06）：92-95．

［11］ 刘鹤，郭凤志．"一带一路"：文化融通之路[J]．人民论坛，2017
　　　（22）：138-139．

［12］ 苏泽宇．"一带一路"境外文化融通的空间向度[J]．青海社会科
　　　学，2016（02）：15-21．

[13] 陈淼. 城市环境治理的跨国城市合作模式研究[D]. 杭州：浙江大学，2018.

[14] 王苏生，付波航. 中小城市与中心城市合作模式探索——以深汕特别合作区为例[J]. 开放导报，2017（02）：26-29.

[15] 蒋显荣，洪源渤. 国际间城市合作治理的理论、案例与启示[J]. 城市发展研究，2015，22（08）：21-26.

[16] 苗长虹，张建伟. 基于演化理论的我国城市合作机理研究[J]. 人文地理，2012（1）：54-59.

[17] 高尚涛. 国际关系中的城市行为体[M]. 北京：世界知识出版社，2010.

[18] 张建伟，杜德斌. 基于演化理论的城市合作模式研究[J]. 城市发展研究，2011（2）：82-88.

[19] 王立，薛德升. 世界城市跨国空间研究的分野与合流[J]. 人文地理，2017（5）：69-75.

[20] 唐健. 伙伴战略与伙伴关系：理论框架、效用评估和未来趋势[J]. 国际关系研究，2016（01）：50-78+154-155.

[21] 吕志奎. 州际协议：美国的区域协作性公共管理机制[J]. 学术研究，2009（5）：50-54.

[22] 阮秋芳. 试论东盟国家文化与中华文化的共生包容性发展[J]. 琼州学院学报，2013,20（6）：15-18.

[23] 宁波与中东欧城市合作机制[J]. 宁波经济(财经视点)，2014（10）：31.

[24] 龚蔚霞. 多元伙伴关系视角下的城市合作发展模式探索[A]. 中国城市规划学会. 城乡治理与规划改革——2014 中国城市规划年会论文集（13 区域规划与城市经济）[C]. 中国城市规划学会，2014：9.

[25] 吴宁宁. 区域双中心旅游城市合作模式研究——以济南和青岛为例[J]. 青岛职业技术学院学报，2014，27（03）：14-19.

[26] 李婉钰. 城市合作背景下珠澳同城化研究[D]. 长沙：湖南大学，

2013.

[27] 张吉军，易玲. 行政契约理论视角下的城市合作模式——以武汉"1+8"城市圈建设为例[J]. 湖北社会科学，2011（06）：52-55.

[28] 张协奎，张泽丰. 北部湾经济区内城市合作机制研究[J]. 城市问题，2010（10）：85-90.

[29] 许红艳. 马来西亚国族建构研究[J]. 广西民族研究，2015（01）：15-22.

[30] 周方冶. "一带一路"建设政治环境评估的思路与方法——基于泰国与印度尼西亚的案例分析[J]. 北京工业大学学报（社会科学版），2016，16（05）：66-77.

[31] 于俏. 泰国文化面面观[J]. 绿色科技，2017（17）：198-199.

[32] 古小松. 越南文化的特点、发展趋势与中越文化交流[J]. 文化软实力，2018，3（02）：58-67.

[33] 罗涛涛. 试析越南文化的来源、特征和发展[J]. 廊坊师范学院学报（社会科学版），2018，34（04）：28-33.

[34] 韦莉娜，唐锡海. 中国与东盟文化交流现状及存在问题研究[J]. 南宁职业技术学院学报，2012，17（04）：32-35.

[35] 柴勇. 中国文化溯源及其特征[J]. 文物鉴定与鉴赏，2018（21）：49-51.

[36] 粟实. 努力创造光耀时代的中华文化[N]. 山西日报，2019-03-05（009）.

[37] 舒刚. 中华文化的力量[N]. 福建日报，2014-06-20（001）.

[38] 张榕. 多元社会背景下的马来西亚法律与文化[D]. 北京：北京外国语大学，2017.

[39] 郭映珍，刘庆. 一带一路背景下中国—东盟文化融合的探究[J]. 东南传播，2019（1）：58-60.

[40] 赵海立. "一个马来西亚"多元族群的国度[J]. 中国民族，2014（06）：70-75

[41] 蒋炳庆. 多元文化背景下的民族和谐实现——基于马来西亚族群

关系观察[J].贵州民族研究，2015，36（08）：137-140.

[42] 段颖. 马来西亚的多元文化、国家建设与族群政治[J]. 思想战线，2017，43（05）：59-67.

[43] 廖小健. 马来西亚的马来人教育：发展与影响[J]. 南洋问题研究，2007（04）：77-83+97.

[44] 赵海立. "一个马来西亚"多元族群的国度[J]. 中国民族，2014（06）：70-75.

[45] 梁敏和，孔远志. 印度尼西亚文化与社会[M]. 北京：北京大学出版社，2002.

[46] 庄国土. 东南亚华侨华人数量的新估算[J]. 厦门大学学报（哲学社会科学版），2009（3）：62-69.

[47] 张远鹏. 印度尼西亚：浮现中的"金砖第六国"——全球金融危机以来的印度尼西亚经济及前景展望[J]. 世界经济与政治论坛，2012（06）：75-85.

[48] 张党琼. 印度尼西亚：千岛之国的多样文化[J]. 今日民族，2013（02）：40-44.

[49] 周方冶. "一带一路"建设政治环境评估的思路与方法——基于泰国与印度尼西亚的案例分析[J]. 北京工业大学学报（社会科学版），2016，16（05）：66-77.

[50] 邓谦虹. 从泰国文化教育中感受教育文化[J]. 湖南环境生物职业技术学院学报，2009，15（02）：98-100.

[51] 于俏. 泰国文化面面观[J]. 绿色科技，2017（17）：198-199.

[52] 杨慧天. 泰国旅游业发展研究[J]. 合作经济与科技，2017（10）：50-51.

[53] 段袁冰. 联想与差异：颜色里的泰国文化[J]. 云南社会主义学院学报，2015（02）：141-144.

[54] 古小松. 越南文化的特点、发展趋势与中越文化交流[J]. 文化软实力，2018，3（02）：58-67.

[55] 范氏翠红，李莹. 从全球化的视野看越南民族文化的历史流变[J].

南宁职业技术学院学报，2018，23（05）：18-20.

[56] 罗涛涛. 试析越南文化的来源、特征和发展[J]. 廊坊师范学院学报（社会科学版），2018，34（04）：28-33.

[57] 于在照，梁远. 试论越南民族在文化上的交融性[J]. 广西民族大学学报（哲学社会科学版），2007（04）：72-76.

[58] 谭鹏，高金平. 新加坡文化特质的生成机制及其启示[J]. 桂海论丛，2012，28（06）：22-26.

[59] 房慧. 文化视域下新加坡社会核心价值观的研究及启示[D]. 西安：西北工业大学，2016.

[60] 杨红梅，张想明. 新加坡共同价值观与传统孝文化价值精神的融合[J]. 湖北工程学院学报，2018，38（01）：22-26.

[61] 黄小龙. 论新加坡文化对其外交的影响[D]. 南宁：广西民族大学，2018.

[62] 金荣. 浅析中国—东盟文化交流在 21 世纪海上丝绸之路的影响及前景[J]. 广西社会主义学院学报，2014，25（05）：73-77.

[63] 韦莉娜，唐锡海. 中国与东盟文化交流现状及存在问题研究[J]. 南宁职业技术学院学报，2012，17（04）：32-35.

[64] 黄耀东. 中国—东盟文化交流与合作可行性研究[J]. 学术论坛，2014，37（11）：137-142.

[65] 张成霞. 构建中国—东盟人文交流新格局——新世纪中国—东盟人文交流回顾与展望[J]. 东南亚纵横，2012（11）：21-26.

[66] 李红，彭慧丽. 区域经济一体化进程中的中国与东盟文化合作：发展、特点及前瞻[J]. 东南亚研究，2013（01）：101-110.

[67] 刘峰，严三九. 东盟国家周边传播的文化捷径[J]. 现代传播（中国传媒大学学报），2018，40（08）：20-25.

[68] 徐步，杨帆. 中国—东盟关系：新的启航[J]. 国际问题研究，2016（01）：35-48.

[69] 陈秀莲，张静雯. 中国—东盟港口互联互通建设存在问题与对策[J]. 对外经贸实务 2018（02）：22-25

[70] 唐奇展，杨凤英．"一带一路"背景下广西对接东盟文化产业合作路径探析[J]．广西大学学报（哲学社会科学版）2018，40（01）：113-118

[71] 尤安山．"21世纪海上丝绸之路"建设与中国东盟经贸新合作[M]．上海：上海社会科学院出版社，2018．

[72] 郭宏宇，竺彩华．中国—东盟基础设施互联互通建设面临的问题和对策[J]．国际经济合作，2014（8）：26-31．

[73] 冯氏惠．"一带一路"与中国—东盟互联互通：机遇，挑战与中越合作方向[J]．东南亚纵横，2015（10）：32-37．

[74] 李晨阳．中国发展与东盟互联互通面临的挑战与前景[J]．思想战线，2012（1）：87-90．

[75] 张学昆．印度介入南海问题的动因及路径分析[J]．国际论坛，2015（6）：39-44+78．

[76] 梁颖．打造中国—东盟自由贸易区升级版的路径与策略[J]．亚太经济，2014（1）：104-107．

[77] 张协奎，刘伟．中国—东盟产能合作：成绩、问题与对策[J]．商业研究，2018（10）：91-97．

[78] 新华社．广西与东南亚国家缔结友好城市数量达到52对[EB/OL]．[2018-08-28]．http：//asean.xinhua08.com/a/20180828/1775390.shtml．

[79] 马来西亚国家概况[EB/OL]．[2019-5-20]．https://www.fmprc.gov.cn/web/gjhdq_676201/gj_676203/yz_676205/1206_676716/1206x0_676718/．

[80] 陈积敏．正确认识"一带一路"[EB/OL]．[2018-2-26]．http://theory.people.com.cn/n1/2018/0226/c40531-29834263.html．

[81] "一带一路"视野中的印度尼西亚雅加达港[EB/OL]．[2019-06-02]．http://www.chinaports.com/portlspnews/424．

[82] 印尼连城航空开通多条直飞航线吸引中国游客[EB/OL]．[2018-09-10]．http://www.dzwww.com/xinwen/guojixinwen/201809/t20180910_17825786.htm．

[83] 《推动共建丝绸之路经济带和 21 世纪海上丝绸之路的愿景与行动》发布[EB/OL]. [2015-3-30]. http://zhs. mofcom.gov.cn/article/xxfb/201503/20150300926644.shtml.

[84] 中国交通建设（01800）：中国港湾拟参股投资泰国集装箱码头项目总投资 10.1 亿美元[EB/OL]. [2019-06-18]. http://hk.jrj.com.cn/2019/06/18225227721941.shtml.

[85] 广西中泰崇左产业园案例[EB/OL]. [2018-09-05]. http://www.sohu.com/a/251992700_350221.

[86] 新加坡积极参与共建"一带一路"[EB/OL]. [2019-08-26]. http://www.caexpo.org/index.php?m=content&c=index&a=show&catid=120&id=237128.

[87] 生态城今年前三季度新增市场主体 1698 家[EB/OL]. [2019-11-04]. https://www.eco-city.gov.cn/html/tzdt/20191104/31463.html.